读客®图书

亲爱的
另一个我

康沛——著

北京联合出版公司
Beijing United Publishing Co., Ltd.

目 录

序　言

　　这个故事的两位女主角是一对美人。但我想把她们的故事写下来，并不只是因为她们的美。

　　我曾写过许多故事，其中的不少都是真实发生过的事。所以我对那些一看就有故事的人，特别是女人，格外敏感。

　　你知道，有的人，即便装扮得无比精致可人，讲话也算是有趣有节奏，从世俗角度上来说算是出众的人，但作为一个故事搜集者，我就是没办法对这种人的经历产生任何兴趣，总觉得他们只是泯然于众人间，岁月给他们刻下的印记只是在脸上而已；但有的人就不同，他们一出现就会自带某种神秘感，让人一看到他们，就从心底里相信了他们曾经历过一些与众不同的人生，而这些经历对他们的内心来说并未一划而过，而是化作某种与众不同的分子，深深地藏在他们心里。

而这两个女孩对我来说，都算是后一种人。

说起来，我也不算是真正认识这两个女孩。

可不得不承认，我与她们真的是很有缘分。我曾听过来自于完全不同的两个圈子的朋友从不同的角度细述过她们的故事。与所有年轻女孩的故事一样，她们俩的故事当然是以爱情为主线，此外，这两个女孩的身世和成长经历算得上比一般人跌宕起伏一些，故事的一开头就可谓有一点传奇性质，导致这故事一直吸引着我。刚好，我的这两个朋友又是特别擅长讲故事的人，以至于我听完她们故事后的两三天，都一直在想象着这件事的情节和画面，几乎无法摆脱。

后来，我又在一次巧遇中见过她们本人，她们的样子完全没有辜负我的想象，甚至还更增添了一些有余味的故事感，这就更让我浮想联翩了。

由于是听两个不同的人分别转述的，所以我接下来叙述的角度难免有些偏颇。整个故事和细节，在我这里又多了一层想象和改造，因此我这里讲的，是一个经过两次变形后的故事。

不要较真，不要追问我故事的真实性。一个故事只是一个故事。就像我们看到的星光，不过是真实的星星在几十亿光年之外发出的光而已。星星是存在的，而星光是美的。

鉴于一切具体的字都可能会赋予多余的语感，外加有意延续我写故事时的平淡传统，对她们以字母相称——姐姐是a小姐，妹妹是b小姐。

废话说完，现在开始讲故事。

起 初

　　两个女孩是一对双胞胎，长得可谓一模一样，却各有各的美。

　　以往，我总觉得美人这种生物只会出现在电影里或是老照片里，现实生活里只可能有"漂亮的人"或"标致的人"，可见了她俩之后，我才突然相信了生活里也有那种足够摄人心魄的美人在出没，且有迹可循。

　　我相信，她们俩中的任何一位单独出现，都能足够引起无限的回头率。可一旦同时出现，叠加效果便更加倍：她们各自的美非但没有在争奇斗艳中互相抵消，反而是有一种相辅相成的递进感，而这种感觉偏又因为她们一样的身形和五官而多了一层诡魅。

　　尽管她们都是有风格的人，但她们的美大部分来自于先天条件：浓眉大眼细腰长腿这些硬件她们都有，纤侬有致，顾盼生辉。一眼看上去，就知道她们是那种后天没必要使多大劲儿就能从幼年美到老年的人。这样的美女一旦出现在你眼前，那些诸如"没有丑女人，只有懒女人"之类的名言就变得只是用于励志的善意谎言了——如果美丽这件事是一场女人之间的战争，那么就算后天再勤能补拙，也终究还是赶不上那些先天优越的美人的。

真正的美人一定是发乎天然的。这是怎么都没办法的事。

我见到她们的时候，是在东四十条一间酒店的大堂。当时，我正在和知道她们故事的人坐在沙发上聊天。此人突然冲一个方向努努嘴：

"呐，就是她俩了。我给你讲过的那一对双胞胎。"

我顿时在心里叫了声好。不用对方补充，我就已经在心里区别开了她俩。那位艳光逼人、就算在耳际再加一朵硕大的花朵，也毫无做作感只觉明媚娇憨的，一定是姐姐。而那位气质清淡，素着一张脸，头发松松编成一股粗辫子斜垂下来的，一定是妹妹。用个不太恰当且略显俗气的比喻，她们一个是来自三里屯的美，一个是来自中关村的美，一个是夜店尤物，一个是宅男女神。

就像是中了什么咒语似的，所有的人一起看过去。大部分是静默，偶有窃窃私语。

两姐妹显然早已习惯了与众人的目光相处，只是各自的方式不同。姐姐穿瓦蓝色上衣配白色长裙，拿着手包。她目不斜视地向前走着，但好像是已经把路人眼中的好奇、欣赏、羡慕或是嫉妒——

拆穿，只化作嘴角的一点标准的浅笑和"只负责把美展现给你们看，别的我不管"的雍容步态，像是真正的大明星在走红毯似的。妹妹的态度则显得更自持一些，她穿黑色滚边的丝质白衬衫，配细金属链条单肩包，全身上下没一点出格的元素。她轻抿着嘴角，一双眼睛犹自带着些雾气，好像心里自有一个更大的世界，所以身外世界的任何都不会打扰到她一分一毫。

很多人对美女这件事的认知上有盲区。有人觉得美女就该美艳不可方物，所有的清淡美都是浪费，可有人就喜欢清汤寡水的美，多一份矫饰便是做作。而这两种纯粹的、有对比性的美一旦共同出现在眼前，却有着把所有审美盲区都清空的力量。

28年前，a小姐和b小姐在北京南城的一家医院出生。可这件事给她们的家庭带来的并无许多欢乐，更多的是伴随多年的痛苦——在生她俩的时候，妈妈遭遇难产，去世了。

给我讲故事的两个人分别叫做小宇和夏夏，小宇自己有一家规模不算大的贸易公司，夏夏则是一家外企的白领。他俩都着重描绘了这位母亲的美貌。夏夏还给我看过她手机里翻拍的照片。说是看到以后只觉惊艳，忍不住要保存下来。那两张照片里端庄的脸庞和一双脉脉无言的眼睛，就算存在于黑白照片里，就算隔了这么多年的审美变迁，那种夺人的美丽还是以沉静的力量传递出来。

那时候的人喜欢用"长得像电影明星"形容一个女人美，据说，这位妈妈年轻的时候，曾有"赛陈冲，压晓庆"的美誉，看了这张照片后，我就信了。

　　小宇这么评价这位母亲：

　　"其实这么美的女人因为生孩子过世了，肯定是件让人惋惜的事，但后来认识她们一家的所有人都有点庆幸，幸好她生的是女孩，而且是一对双胞胎，而且，居然把妈妈的美丽一分不差地传承了下来……"

　　两个女孩的父亲是当年北京一家大国营厂的技术员，做服装面料的。母亲的老家在浙江的一个小城市，这座城市曾以文脉旺盛得以闻名。她是"文革"后的头一批大学生。

　　这对双胞胎出生之前，姥爷和姥姥曾专门从浙江来到北京，本来打算的是见孩子第一面，接下来帮女儿坐月子。没想到，这次来访，却成了和女儿的最后告别。办完丧事，对着摇篮里两个嗷嗷待哺的女婴，一家人开始讨论孩子的抚养问题。

　　爷爷奶奶都是南城胡同里的老北京，固然是希望两个孩子都留下，然而，在一家人只有父亲一个人赚工资的情形下，要养两个孩子，毕竟还是吃力。姥爷和姥姥是江南当地的知识分子，姥爷在高中教书，通情达理且生活算是宽裕，他们另有一个小女儿，当时跟着丈夫在国外生活。

姥爷犹豫良久后提出的建议让大家都松了口气。他说，不如带走一个孩子到浙江，另一个留下，一家养一个。这样的话，大家都负担不大，而且也算是公平。

在当时，国内的人口尚未开始向大城市迁徙，在一线城市生活似乎并不比在江南的鱼米之乡生活要优越多少。在大家的协商之下，这个提议最终被采纳了。姥爷和姥姥抱走了一个，另一个被留下了。

两个人的不同命运由此开始。她们以后的人生支线，可能就此别离，各自有各自的人生。但终究是血浓于水，两个人后来还是有了交集，枝枝缠缠中，她们始终在一起。

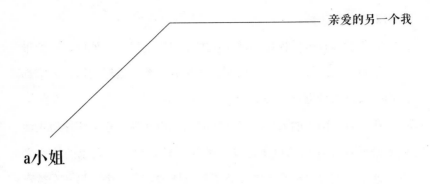

a小姐

　　没错，a小姐，也就是姐姐，是被留下的那一个。

　　其实当时也并没有抽签抓阄这样的戏剧化情节，无非就是姥爷姥姥走到摇篮前，依着自己爱静的性子，抱走了不怎么爱哭的那一个。而哭得比较大声，显得更健壮的那一个，本来就更讨爷爷奶奶喜欢。算是自然选择的结果，也算是不幸中的某种皆大欢喜。

　　亡妻这件事对年轻的父亲打击很大，这个原本生机勃发的年轻人着实有过几年行尸走肉的日子。爷爷奶奶只有这一个独子，在那个多子女的年代，这样的情形并不多。原因倒不是因为条件差养不起——那会儿家家条件都不算好，但一家有四五个孩子的情况照样比比皆是。选择只要一个孩子，只是因为他们并不喜欢罢了。让自己的人生过得没有那样受罪，对他们来说比什么都重要。上了岁数以后，他们就只是忙着遛鸟下棋的精彩人生，对于a小姐这个孙女，只能说是给予了基本照顾而已。

被溺爱这件事，似乎从未发生在我们的a小姐身上。

　　a小姐四岁那年，父亲动了再婚的念头，与厂里一个长相普通但温和敦厚的女人走到一起。而她第一次意识到自己是美的，也是从这时开始。

　　父亲和准继母一起拉着她的手，送她去上幼儿园。事实上，这位父亲的外表并不突出，只是在普通人里"略精神"的那一个，那位"准继母"更是普通人里的普通人，还带着点劳动人民特有的质朴气。不知道内情的人无不在揣测：他们是如何生出这个粉雕玉琢、圆圆眼睛、头发微卷、像一个真正的小天使一样的女儿的？

　　互相搭讪的家长们会说上一些让人不太信服的客套话：

　　"这孩子也太会长了，完全继承了你们的优点。"

　　也有人在背地里研究着，不怀好意地议论着：

　　"真是亲生的吗？完全看不出一点相像。这么好的基因，总不会是天上掉下来吧？"

　　大人们总是低估了孩子的理解力，所以那样的议论总是不会有意避着孩子。a小姐听到这样的议论，隐隐感受到一些来自陌生人的恶意，还有些莫名其妙的沾沾自喜。

即将嫁过来的准继母一向都是笑笑的，也不多话。既不为"这孩子不是自己的"这件事过多解释，也不特意去跟她划清界限，别人以为这是自己生的女儿，那就是吧——父亲就喜欢她的这份知足。越美丽的东西越注定不长久，这个男人怕了那些存在于人们言语里的魔咒。比起之前的那个太过完美和耀眼的妻子，眼前的这个普通而知足的女人，是自己这些年来更需要的切切实实的温柔。

家里人并未对a小姐避讳母亲因生她而死这件事实，也给她看过妈妈的照片，她从小就知道，压在玻璃板下面的那个黑白照片里模糊的影像就是妈妈。她从不觉得这张与墙上贴着的那些明星照片有什么太大区别，甚至会认为，妈妈只是像电视里的那些演员一样，是一个和现实生活没有任何关系的偶像而已——而照片里的这个女人，只是扮演了"妈妈"这个角色，她的存在只是为了证明自己和其他小孩一样，也是有妈妈的。

除了这个以外，就应该再没有其他功能了吧？

有时候，一些远方亲戚会来访。他们会说起妈妈因生孩子而死这件事，说起红颜薄命，说起老天造孽。这时，a小姐小小的心灵会闪过一个类似"莫非是我害死了妈妈？"的念头，可她又想，在一个遥远的地方，还有另一个女孩和自己一起承担这份罪过，心里马上就释然了。

继母对a小姐着实不错。她是个老实的女人，并不是人们想象中的爱使坏的后母。a小姐对这个突如其来的女人从未有任何警惕，也并不抗拒叫她"妈妈"。她甚至觉得，这个会给自己做饭洗衣，也会给自己买零食和小人书的女人，比照片里那个冰冷微笑着的女人要更适合"妈妈"这个称谓。

她还发现，自从那个接地气的新妈妈进了家门，自己真正的妈妈的地位就开始下降，甚至降到了看不见的地方。一开始，妈妈的照片被压在饭桌的玻璃板下面，后来，照片被挪到墙上的镜框角落，再后来，就被奶奶收到抽屉里了。

爸爸和新妈妈结婚后两年，刚好是a小姐要上小学的那一年，他们有了自己的孩子，也是女孩，起了最普通的名字，唤作欣欣。

欣欣和竞争一起来了。a小姐发现，原本不太管她的爷爷奶奶似乎对着欣欣，却突然产生了别样的兴趣，他们不再出门遛鸟打太极，反而大部分时间都待在家里，把几乎所有的精力放在带欣欣身上。六七岁的小女孩已经开始懂事，她慢慢地就有一种"只有那个摇篮里的丑怪婴儿是他们亲生的"的感觉。是因为自己没有真正的妈妈吗？还是因为自己犯了什么错而不讨人喜欢？有时候，她感到被冷落，但这感觉并不会太久。因为她在学校里，终归是出风头的那一个。

无论在什么时候，我们美丽的a小姐都是那种只需要坐着不动，就会被各种负责集体活动的老师挑走的女孩，同样，也只需要简单的示好，她就可以被一些普通的女孩簇拥。在小学女生里很流行的"小姐＋丫鬟"的扮演游戏里，她扮演的永远都是主人。

　　她用发亮的纸卷做成想象中的清宫指甲套，套在手指上，对小伙伴们指指点点。勾起一个小手指，小下巴骄傲地翘起，就一定会有人对她的指令言听计从。她爱拉帮结派，也善于孤立她不喜欢的人，她是天生搞政治的高手，总是不费力就成为孩子里的意见领袖。

　　有时候，她会看到姥爷姥姥寄来的妹妹的照片，照片里的女孩梳着整齐的童花头，和自己长得一模一样。她曾经偷偷幻想过，如果妈妈没有死，如果他们一家四口如今在一起，妹妹也会成为自己的丫鬟之一吗？

　　唯一她可以确认的事情是，一样东西如果要被分成两份，她才不乐意。如果是像现在这样，分给一个比自己小六七岁的妹妹，尚可被接受，但如果是分给一个和自己长得一模一样的小女孩，她隐约觉得诡异和不甘。

　　还是这样好。她感到有点庆幸。

　　爸爸每年都要去浙江一趟，看妹妹。上小学三年级的那年暑假，a小姐跟着去了一趟。那是她第一次见到姥姥和妹妹，也是她第一次出北京。

　　第一次见到妹妹，a小姐比自己之前预想的更不适应。她从小不太喜欢见陌生人，因为她并未被教过礼节，并不熟知敬语，也不懂一个所谓"有眼力见儿"的小孩在怎样的时刻应该适当地做些什么。她对诸如亲人见面这种场合总是感到抗拒。而面前的这个女孩却与自己不同，她落落大方地倒水，续水，扫地，把拖鞋整理好……她甚至还有一只自己专属的猫。

　　a小姐喜欢这座在青石板巷子里的小小院落，喜欢南方的湿润空气与北方看不到的那种树的葱绿。可姥爷每天下午练字时的片刻寂静却让她发慌。这时，爸爸和姥姥往往都出门了，妹妹会在一旁研墨，倒茶，一切都安安静静的，自己突然有种无所遁形的多余感。她很害怕这种多余的感觉，她还是喜欢自己是所有人的中心，就算不能成为中心，至少也要是所有人的一分子。

　　从欣欣出生的那一天起，这种挥之不去的感觉就开始在a小姐的小心灵里萦绕了。但她不知道是什么，也并没有足够的逻辑能力去思考。但在这一刻，她突然意识到了，这一种让自己不舒服的感觉无非就是现在这样：大家各行其职，各有身份，只有自己，是多出来的那一个。

　　天地之间，只有自己是多余的。就连脚下的那只猫都有自己的天职。日升日落，它只管吃饭、散步和取悦主人即可。欣欣有爷爷奶奶，妹妹有姥爷姥姥，爸爸和新妈妈有彼此，可是自己，又有什么是自己真正拥有的呢?

　　不知a小姐以后的性格与经历和她童年的那个突然的刹那是否有关系。至少,她在十年后跟自己平生第一个真正爱上的男人描述这个时刻的时候,两个人都有空出来的一瞬静默。

b小姐

　　和姐姐几乎是同时，b小姐也是在四岁上幼儿园的那一年，知道了自己长得好这件事。

　　那时，每天回家的路上，b小姐都要被外婆询问一番当天在幼儿园的经历。她坐在外婆的自行车前横梁上，总是木着一张脸。外婆问一句，她答一句，每天的经历都必须要毫无差池地一一道来，祖孙两人都没什么多余的情绪。

　　午饭加餐有苹果。班里有两个男孩打起来了。老师多分给自己一块糖。不太喜欢某个小朋友。这种对话往往不像是其他小朋友急着把每天的心情表述给家人的那种兴奋，而只是纯粹的一问一答，像是领导问询和下属汇报的那种节奏。

　　一天，b小姐在例行的问答中告诉外婆，在幼儿园被几个老师夸奖了。外婆问为什么，她便如实回答说，一个新来的老师说自己长得好看，还说在其他的幼儿园上了好几年班，从来没见过这么漂亮的小孩。其他老师也都连连称是。

平淡的对话突然停下了。外婆停下自行车，一脚蹬在地上，带着点古怪地看着她。

过了几天，外婆不知道从哪儿弄了一把可以把头发弄直的电烫板，一缕一缕地把她微卷的头发夹直，然后让外公把她原本过了肩膀的又黑又厚的长头发剪掉，变成了最简单朴素的童花头。b小姐并不苦恼或是拒绝，只是看着地上一片一片掉落的头发，费力地思考着他们这么对自己的原因。

外公和外婆从不多话，又一向严厉。他们从来都只告诉她应该做什么，而不解释为什么，b小姐从来也不问。自从她学会说话起，祖孙三人已经习惯了这种少言寡语的相处模式。她从没有得到过任何一件小女孩会喜欢的玩具，唯一的"开恩"就是她要上小学的那一年，外婆从外面弄了只小猫送给她。她把这只三花猫养得很好，时常跟它说说心里话。

漫长的辰光里，外公和外婆也会跟b小姐讲一些过去的事情。听得多了，她便通过自己的想象把那些存在于只字片语的碎片串起来，想象着这两位长辈曾经的一生。

外公出生在当地的文人之家，在文脉昌盛的年代，祖上也曾显赫一时，即便后来家道中落了，也算是有些余田的富户，足够供养这位家族里的独苗少爷上学。少年时的他文采飞扬，气宇不凡，在家人的支持下到上海求学，后因战乱辗转多地。而外婆曾是一名真正的上海小姐，在洋房里出生，在西式学校接受教育。十多岁的黄金年华，她爱好时髦，手里有大把的零花钱。内战结束前，家里本来准备送她到巴黎留学，但她却因为和那位英俊学生的爱情留在了中国。

和不少经历过时代悲剧的人们一样，曾不普通的他们后来的大半辈子都只想做普通人，但终究求之不得。一个是地主出身，一个有做大买办的父亲，两个人在"文革"时自然是被重点斗争的对象。而外婆与众不同的优雅气质成为了他们在"文革"中受辱的直接原因，尽管她自认已把过往的自己忘得一干二净，可毕竟有着无数当事人无法解释的欲加之罪，诸如"爱干净"这样的本能甚至都是错的。

在被排挤成异类的岁月里，先后诞生的两个女儿是他们的唯一指望。恢复高考后，这两个女儿都考上了大学。大女儿去了北京，大学毕业后在众多的追求者中挑了一个所有人都满意的小伙儿，工人出身，人也踏实精神，可结婚三年不到，就在生孩子时丧了命。小女儿考到上海，后来说是要追求爱情，可是挑中的对象却是一个比自己大二十多岁的中年教授。刚一大学毕业，就跟着这位教授出国去了。

两位老人从不认为长得好看对女人来说是件好事。他们的经历让他们比任何人都小心谨慎，害怕与众不同。他们古怪，遇到一点变故就会像惊弓之鸟。他们信命，但又本能地不敢去信任任何宗教。他们不愿意这个和大女儿小时候几乎一模一样的外孙女变成传说中的薄命红颜，他们宁愿她是一个普普通通的小孩子，安全地长大。

　　而这些，都是幼年的b小姐不知道，也不可能懂得的。

　　外公在高中里教书，也会做一些翻译的工作。他写了一手好字，在当地的书法界算是小有名气，经常有人上门花钱求墨宝——这家的经济实际上是很宽裕的。可b小姐小时候从没穿过什么出众的衣服，她的衣服都是到裁缝店做的，用的大多是便宜耐磨的粗灯芯绒，颜色不是深棕就是灰色，样式也是最普通的。等她上了小学，老师或其他家长难免会评价"这么漂亮的孩子，也不给好好打扮一下"，这时，外婆往往不合时宜地强调一下"她妈妈死得早，爸爸又不在身边，让我们两个老人带着，也就不那么讲究了"的事实。

　　每当出现这样的对话，b小姐就咬着嘴唇，装没听见。

　　她知道自己有一个同胞姐姐在遥远的北京。爸爸每年来看她，都会带来几件对她来说很时髦的童装，就说是给姐姐买的，顺便也多买了给她。本来心里也是有些期待的，但爸爸走后，外婆就说，那些鲜艳的衣服都属于奇装异服，直接就给压在箱子底了。

在和姐姐见面前，她其实听过姐姐的声音：有次爸爸带过来一盘磁带，里面那个奶声奶气的小女孩唱了一首歌，还用她并不熟悉的京味普通话说着"祝姥爷姥姥福如东海寿比南山"。外公外婆微笑评论着这孩子挺懂事，b小姐心里则觉得把"外公外婆"叫成"姥姥姥爷"这种叫法好像更轻松自然，因为"外"这个字好像总是带着点说不出的生分似的。

七岁上小学那年，爸爸又带来几张照片。和她之前看过的其他照片不同，这些照片是姐姐和她的朋友们一起过生日时拍的。照片里，姐姐带着硬纸壳做的小皇冠坐在中间，五六个小姑娘都齐刷刷地看着她，目光里好像都带着点羡慕。还有一张照片是大家一起吹蜡烛，姐姐闭着眼睛，前额的头发飘起来，鼓着嘴巴，其他的小朋友做出捧场的姿态，也一起装模作样地吹过去。

b小姐从没吃过蛋糕，也没和朋友们一起过过生日。她知道自己的生日是妈妈的忌日，外公外婆每年都会提起，但并不会特地怎么样。而照片里这个过生日的女孩……想象中的公主也不过就是这番模样了。不是说自己和姐姐长得一模一样吗？为什么照片里这个神采飞扬的女孩和镜子里那个总是呆呆的自己好像有着天壤之别？

十多年后，b小姐去了异乡。她常常与自己的恋人讲起自己的童年。

说得最多的是关于梅雨天的回忆。对她来说，那一个月真的是很漫长。外婆总在嘟哝着腿疼，开着电视看咿咿呀呀的越剧，灯也不开，一看就是一下午。晴天时，总是得特别紧张地把衣服晾出去，一有下雨的迹象，又得帮着赶紧收回来。不太爱到外面走动的外公在下雨的季节就更不出门了，只在家写字，他从不用现成的墨汁，自己必须得随时待命研墨。窗下搭着的毛巾有时候会防不胜防地长几颗霉点，院子里石板上的青苔长得愈发疯了。

　　漫长的夏天过后，会发生一年之中唯一的一件好事：外公每年都会带着她到钱塘江边观潮。远远的一条线，潮来了，周围的大家都含笑等着，直到奔涌的潮水扑到岸边，向人群呼啸着袭来时，所有人都像是突然反应过来似的，掉头就跑。仿佛是很多人一起约定在玩一场危险的游戏，他们拼命地跑，拼命地逃过自找的劫。直到跑得远了，散了，蹲下来歇息，一向寡言的外公就会讲一些自己小时候来这里观潮的往事。b小姐并不太喜欢听，但她喜欢和许多人一起经历的这场好玩的冒险。

　　讲这些的时候，她的语速很慢，常日里不多话的她甚至显得有些絮叨。男孩对她很温柔，对她讲的话总是很悉心地听着，一双恳切的眼睛望着她，或直接拥她入怀。

　　可她总觉得他不懂自己在讲什么。

而爸爸带着姐姐的那次来访，b小姐也记得很清楚。

　　他们到访前，家里进行了一次大扫除，本就潮潮的屋里更多了一层湿气。当照片里那个骄傲的小女孩出现在眼前时，b小姐突然有一种陌生和失望交织的情绪：这就是那个像个大小姐一样的姐姐吗？她怎么像个乡下姑娘似的，一个劲儿地往爸爸身后躲？还不时地偷眼看自己，显得不太礼貌。外公总说见人务必要落落大方，就算心里害怕也要表面上礼数做够。显然，眼前的那个女孩并不符合这个要求。

　　爸爸要顺便到上海出差，把姐姐留在家里住了十多天。外公外婆对姐姐都有一种近乎陌生人的客气，b小姐知道，这是他们不怎么喜欢一个人的表现。外公练字的时候，偶尔会招呼姐姐过来看，但她看了一会儿就看不下去了，蹲下来逗猫玩。等姐姐跟着猫走到屋子另一头的时候，外公低下头沉吟：

　　"那孩子不行，心浮气躁的。"

　　b小姐突然有点默默的得意。就连猫也不怎么搭理姐姐。透过阳光里细碎的飘尘，她看到那个和自己长得一样的小女孩有点呆呆不知所往的样子，研墨的手不自觉间变得更勤快了。

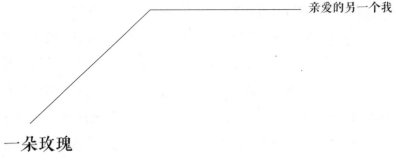

一朵玫瑰

美丽的女孩和其他女孩一样，后来都是会长大的。

按照世俗的标准来看，a小姐的青春期应当是不太被看好的那一种。

上小学四年级那年，父亲所在的那家奄奄一息了几年的国营服装厂终于宣告倒闭，原来的副厂长带着资金和技术到广东去创业，也拉了原先厂里的几个人一起去。因为想赚那份比原先高得多的薪水，爸爸也跟着去了——他现在就算是下岗职工，能有这样的机会，已经是很难得的事情了，正值壮年的时候出去闯闯，总好过在家里等着再就业或是和很多人一样去开出租车。

爷爷奶奶一直说着"子孙自有子孙福"，又说"散养的小孩子才容易皮实，给口饭吃就能活"，加上a小姐长大后的模样总是让他们想起曾经那个薄命儿媳，就算不说，但心里总觉晦气，所以一直不太管教她。而继母自然会把几乎全部的精力放在自己亲生的孩子身上，对a小姐只是一味客气地好，并不真正管她。父亲也许是心里觉得亏欠女儿，只能在经济上补偿，便去银行给a小姐单开了一个账户，每个月都会汇一笔对小孩子来说不太少的零花钱给她。她一早就成了同龄人里的富户，从初中开始就买自认时髦的衣服穿，或是请同学去外面下馆子。

她也几度怀疑自己存在在这个家庭的意义，类似童年在江南的那种孤寂的瞬间一再出现在她的心里。她想，自己对于这个家庭来说，也不过是饭桌上多副碗筷罢了。但随着慢慢长大，周围的同龄人的课业压力逐渐加重，她的这种怀疑里自怜自伤的成分就开始少了，反而慢慢学会享受这种不被管教的乐趣，愈发乐得自由了。

a小姐在家庭之外自有一番天地。她上初中的时候就已经声名远扬了。

和妈妈一样的线条优美的脖颈和修长的双腿开始慢慢长成，这些先天条件让她很早就鹤立鸡群，她的女性美比同龄人更早地散播了出去。她身边总是围着人。有因为她长得好看，试图通过接近她好沾染点仙气的；有因为她会穿又会玩，单纯被她性格里的潇洒自在所吸引的。等她又长大了一些，为她争风吃醋的狂蜂浪蝶就开始多了，有傻傻的邻校高中男生，他们会逃了课等她放学；有看似深沉的摇滚乐手和文学青年，他们会送给她歌和诗篇。

她还是像小时候一样会笼络人，常施舍小恩小惠给别人，仿佛只要是她顺手弹出的东西，自然就有大把人伸手接着。其实她精于算计，别人的心她一看就透，可因着她的美，别人宁愿认为她是单纯无辜的。她也是天生会谈恋爱的人，却从未被爱情里的种种情绪沾染。当普通女孩一个一个地坠入自己编织的情网时，她每天都有约会，甚至有人为她反目，可她从没有固定对象，也未为谁真正倾心。她有那种游走于异性之间却永远保持自我的能力，所谓"万花丛中过，片叶不沾身"。

她的声名并不很好，总有人盯着她的背影，以她为主角罗列莫须有的故事。家里的小妹妹欣欣甚至以她为耻。但她一早知道出众的人和平庸的人的区别——出众的人只盯住自己想要的，而平庸的人则四处观望，长了一张嘴巴就是为了议论别人，所以她不介意别人的说法，自顾自玩乐，反正她什么都不缺。

她唯一不擅长的就是功课。其实她并不是一个笨女孩，只是对她来说，看似美妙的现实生活图景过早地在她面前展开，她等不及飞起来去拥抱那些可爱的肥皂泡，脚下的泥土路，她一点儿都不想走。当然也没人逼着她走。

确定要去上职高那天，她去把头发烫了细碎的波浪，画上眼影和口红，她早懒得欣赏清汤寡水的醇美，急着让自己变成一朵看似危险实则自知的玫瑰。

父亲这时已经南下几年，他渐渐看出自己的这个女儿注定成不了读书人，就算是上了职高，学业也不过是"三天打鱼两天晒网"罢了。在广东混迹几年的他思想渐渐开始活络，寻思着给女儿找条将来赖以为生的出路。刚好他所在的工厂在做外贸订单的同时，还想开拓一下北方市场，他花了不小的一笔钱，买了动物园服装批发市场的两个摊位，交给女儿去做，由自己的工厂来供货。

a小姐和爸爸一拍即合。她需要更多的钱，也需要一份真正让自己独立的活计。十六岁的她就此成了一个小小的生意人。

几年后，如果有不相熟的看客提起a小姐的"发家史"，他们大多会冷冷地这么形容：

"她也算真是运气好，赶上了外贸服装开始火的那两年，手里也是有独家好货源，用的是自己的摊位，不用考虑租金成本……能做起来，也是让她赶上了。"

可讲故事的小宇却不这么想。当年a小姐在动物园批发市场练摊时，他的摊位就在她对面。

"这几年大家都说动批人气旺，甭管批发的零买的都知道北京有个动物园批发市场，上学的小姑娘都知道拎个黑塑料袋去冒充进货，说得好像支个摊就能卖出去东西似的。把你放到那儿你就知道了，竞争太激烈，那会儿的生意真不好做，一个女孩，没点胆识和毅力，真未必能做起来。"

　　a小姐的家原在磁器口，和动批所在的西直门隔了半个北京城。而她的批发档口所在的大市场每天六点就要开门，大部分的客户要赶早市进货，所以这个规定雷打不动。如果哪个档口超过六点十分还没有开张，耽误了第一波生意不说，弄不好还会被罚款。十六岁的a小姐还不能考驾照，最早的时候，她每天得不到五点就起床，倒两次夜班公交去"上班"。

　　第一批大货款回流到手上以后，她便在西直门租下来一套一居室自己住，辛苦的处境才稍微改善了些。学校当然是不怎么去上的了，她的活动范围彻底从崇文区变到了西城区，就此安营扎寨，做起生意来。

　　她回忆起自己赚第一桶金的那两年，总带着点"英雄不提当年勇"的样子，淡淡笑笑不愿多说。若是遇到不识趣的问得多了，她大多这么说：

　　"那时候也就是赶鸭子硬上架，不想做也得做，否则几十万的货压在手里，我爸和我都得疯。"

　　若是遇到之前一起在动批打拼的旧相识，大家说起她那几年的辛苦时，她也就是撂下一句话：

"别说我辛苦，谁不辛苦，做什么不辛苦呢？我也就是比别人的辛苦来得早几年罢了。"

　　小宇曾形容那会儿a小姐的摊位是"整个市场里最招人的"那一个。

　　首先在于衣服的款式新，大部分的样子都是别人没见过的。当时她父亲的公司在做国外品牌的订单，除了走原单之外，还按照那些牌子的样子，稍微改一改设计和面料，拿到她的档口去做批发。在这个市场里，别的批发档口大多是从山东或河北的厂子进货，只有她的货是广东来的外贸货，和别家不会重样，过来批发的那些商人，只要有懂行的，一眼就能看出她家的货是时髦的新样子，拿回去一定好卖。好多摊主都雇人从她那里买样，然后自己回去打版，不过等别人的那些仿制的二手货上了架，她的货又翻新了。小宇说，这就是行内所说的一手货源的优势。

　　北京的动批从来不愁客流量，在当时，几乎全北京，乃至整个华北地区的各种店铺的货大多要经过这里。有独门货源的摊主大多冷淡，每天坐在档口里面等客上门——反正零售商卖完了他们的衣服，还是会过来补货的，所有要做的工作就是把货理好，做好前期挑款工作即可。可她不，她自己每天穿着不同款式的自家衣服，就站在档口前面招呼，跟熟客、新客介绍，甚至搬运、打包、买胶带和箱子、帮顾客和物流打交道……一切亲力亲为。那时候在动批做批发的人，很多人都记得这个美女摊主，她每天化着浓妆，手脚麻利，俨然就是一副美艳老板娘的架势。很少人知道她其实不到二十岁。

当时动批的小档口，大多是一个老板加两个女导购的标配。她从别的摊子上挖了两个导购，有经验，又漂亮，撑得起衣服。尽管对于刚刚开始做生意的她来说，这两个人的工资甚至比她自己每个月落到手里的利润还要高，但她觉得值。她明白形象、服务和回头客的重要性。

小宇说，北方的生意人和南方的生意人是有本质区别的。北方人往往顾大不顾小，很多人是带着情绪在做生意，生意做得好了还会挑顾客，觉得你顺眼才把东西卖给你。在这个市场里，也有几个称得上是传奇的人物，他们大多是以货好脸冷著称，尽管毫无态度可言，但生意依然火爆。可a小姐完全不这样，她在她的事业上有一种南方的生意人才有的细致和热情。况且她本人就是最好的招牌，来这里的不少商人只认她家的货。

a小姐在这两三年间赚到的第一桶金到底有多大，其实谁也不知道。反正当时市场里的人，从别家摊主到打包的小贩，谁都知道她做得好。她在两年内吞并了隔壁的两家档口，整体打通做成一个大摊子，货源的范围也开始扩张，她不再仅仅从爸爸的公司拿货。

她后来不常盯摊，雇了一位东北女孩做店长，自己只是偶尔去看一下账。她常往广东跑，专包各种外贸原单，一遇到好货就整体包下来，哪怕这批货包括一些瑕疵品，她也敢包，只是不想别家卖和自己一样的东西。她是个天生的营销专家，什么货到她手里，都是卖得动的。

小宇半开玩笑地说，那时的自己曾是a小姐的忠实粉丝：

"她一旦不来，我就老是犯瞌睡。有顾客找过来就随便卖卖，没生意就更乏了。她过来收账的时候，我还能精神点。"

几年后，老市场拆迁了。她如何用得到的拆迁费在东直门和西直门分别购进房产两处，而这两处房产的价钱又如何在几年内翻了两番，就又是后话了。

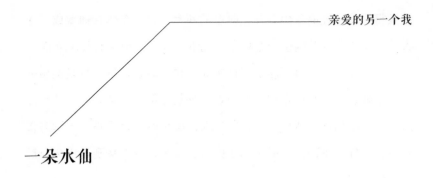

一朵水仙

一朵真正的玫瑰即便在野外也可娇艳盛放。

可我们的b小姐却没得选，她只能安心地做一朵在室内养着的水仙。

相比起姐姐，她的青春期过得可谓平平淡淡，无晴无雨。过了多年后，她即便努力回忆，能想起来的也就是为数不多的几个零碎生活片段：一场来得过早的初恋，和第一次的北京探访。然而，这些片段在她心里甚至都不如那些数理化定律来得深刻。

她的学业一直都是好的。除了那场无疾而终的秘密恋爱之外，并没有出现别的事让她分心。常年和老人生活在一起的时光造就了她方正规矩的性格，变幻莫测的三角函数和英语分词结构对于不少同龄人来说都是折磨，对于她来说却是一种不错的消遣。她不太会花心思在装扮自己上，属于她的青春期过得比一般的孩子更加刻板，甚至都没有什么真正的朋友——外公外婆日益衰老了，她一放学就得赶紧回家帮着做家务，以及熬药。家里终年飘着中药的苦味，她并没有什么时间发展一般女孩的小小兴趣。

尽管外公外婆并不想让她出众，可"天生丽质难自弃"这种句子就是为了形容b小姐这样的女孩而被造出来的。她虽然一早就意识到了自己的美，但她并不把这个当作多么重要的事，也从来没想过用它来为自己图谋什么。在学会展示自己的美之前，她更早地学会了压制。别人当她的面夸她，她并不以为然，夸得重了，她还会显现出一副惊惶的神情，反倒让她的美显得更楚楚动人些。上了初中以后，慢慢地开始有一些男孩追求她，他们出现在她家门口的巷子尽头，只为看她一眼。

男孩们对她有些失望。因为她每次都是默默地绕过他们，眼观鼻鼻观心地走过去。

秘密的恋爱开始于高二的上半学期，那时她刚进理科重点班一个月。对方是比她高一年级的狂放少年，有种疏朗的帅，打架和打篮球一样出名。他很爱惜她，轻易地就许下了关于"永远"的诺言，她只沉默地笑笑，并不去相信。这场懵懂的恋爱总共持续了两个多月，她比大多数女孩都早地尝过了拥抱和接吻的滋味——也并不比等待考试成绩时更紧张。有几次和男孩暂别时，她在想，自己也许并不是真正喜欢他这个人吧，这种逾矩的感觉还要更可爱些。

身为一朵家养的花，她喜欢窗外的风，以及不太循规蹈矩的那类人。与他在一起，自己仿佛变成了另一个人，这种略略不安却足以把控的感觉让她感到一点放纵的过瘾，在被人发觉之前，她并不当这是种罪。

终究这场秘密的恋爱在对方送她回家，拉着她的手，迎面碰上外婆严厉的眼神时告终。她心里开始有一些自责，一方面责怪自己的软弱，另一方面又怪自己让外婆伤心。她总是这样矛盾着。

上高三前的那年暑假，b小姐去过一次北京。

外公外婆和她自己都习惯了沉默无言的生活，并未觉得有什么不正常，但那年父亲去看她时，却着实觉得她话少得有点奇怪了。她每天只是坐在书桌前做作业，或是低着头在屋子里走动，像是脚底有肉垫的猫一样，不发出任何声响。这位父亲一直觉得这个岁数的女孩都应该像她姐姐那样，心思机敏能说会道，只道她是学习压力太大，非说要带她到北京玩玩，见识一下。

她心思一动也就去了。

a小姐那阵子已经在动批附近租了房子，忙着打拼自己的事业，就连学校都很少去报到，几乎不会回家。安顿下来的第一天，她就到姐姐的档口去看，可姐姐忙着招呼客人，几乎没有时间去管她，她只能静静坐在摊位货堆里的板凳上，看那个和自己一模一样的女孩在如何跟说着各地方言的买主谈笑风生。

有点说不清楚的恐惧。像是在梦里照镜子，却发现自己的样子慢慢移位，越来越不像自己。姐姐和自己，本来就应该是一个人的吧，却被奇怪地拆成了截然不同的两个。只坐了一会儿，她就觉得头疼得厉害，起身走了。

平静无波的日子过得最快。在b小姐的青春岁月里，最大的一次事件发生在上大学前的那个暑假。

高考后，学校要组织估分，然后大家根据估计的分数和老师的建议填报学校。b小姐几乎是不假思索地填了上海的两所普通高校，一所师范类，一所财经类。老师和同学都说她"报亏了"，以她的估分成绩，应该是可以往重点学校的好专业走的。大家要她再好好考虑一下，她轻笑着答：

"我也没有什么远大志向，真的是有学上就可以了。"

和平常一样，她的表情里总带着点拒人于千里之外的意思，老师们也不便多说什么。其实她心里最清楚，自己对自己的期许无非就是上四年大学之后就回乡，觅一个类似会计或老师一样的职业，好照顾外公外婆二老安度晚年。她对远方也并非是没有念想，北京和上海她都去过，高楼大厦和都市人的快节奏也是让她心动的，可她只是觉得既然别无他选，想太多也只是白费脑筋罢了。

不如不想。

分数出来了，这份成绩单相当不错，乃至她自己也觉得可惜——如果志愿是报了交大同济之类，也未必就不成功。但转念一想，怎样都是殊途同归，就这样吧。安心等录取通知的时候也看看闲书，夏天的大半就这么过去了。

通知书寄来的一瞬间她有点愕然，随后意识到自己的志愿书实际上是被改了——她拿到的录取通知书居然是来自北京一所重点理工类院校的，专业是通信类，正是所有的老师都力劝她填报的"就业热门专业"。

她怀着点不解的怒气去外公房间，外公面无表情，说既然拿到了就去上吧。以她的学力，能上这个学校的这个专业，才是合适的结果，还絮絮说了些"为国家尽力才是对长辈尽孝"这样的话。她不知道怎样回答，只是怄气。

其实她知道外公外婆的心思。外公之前说过很多次，二老不可能一直陪她，她终究还是要跟着最亲的亲人，也就是父亲和姐姐一起生活的，而升学这条路，就是她顺理成章地到北京的最顺畅的办法。

可她还是想不通。在她眼中，外公这种武断的行为无异于把他们的情分往绝路上逼。她对亲情唯一的理解就是和二老在一起的日子，而父亲和姐姐所在的北京，对她来说不过是一团干燥而炎热的空茫。她无法想象自己不在的日子里，万一二老有什么意外情况该怎么办。她并不习惯于争辩，只是默默地开始到处咨询是否有改学校的余地，还一度想过再复读一年的办法是否可行。

最终，这个无解的矛盾由远在英国的小姨的一个电话解决。

姨夫，也就是那个比小姨大二十多岁的老教授，接受了上海一家大学的聘请，要在半年后回国当客座教授，在上海待至少三年。小姨听闻此事，说让她放心到北京去上学吧，她完全可以长期回家小住，顺便照顾老人。在大人们的语气里，她的矛盾不过是不值一提的孩子气而已。

虽有些不情愿，b小姐这才开始做到北京上大学的准备。

她尽量地把收拾行装的时间拖长，买的火车票也是学校规定的最后一天的报到日。她只是一心想在生养她的那个小城多待几天，却从来没有想过，后来自己身上发生的故事，与经历过的感情，会如何和当时只见过两次面的姐姐纠缠在一起。

两姐妹的故事，自此算是真正开始。

狮子座和处女座

直到现在，a小姐还是最怀念妹妹刚来北京时的那两年。

那时候，什么都还没有发生。妹妹的到来，让她第一次觉得有了真正可以作伴的人。在那段时间见过她们的人也都觉得，再没有一段女孩之间的关系会像当时的她俩，那样心无芥蒂又灵犀相通，那样肆意无畏地在花期一起盛放。

a小姐自小就经常从同一个梦境中惊醒。

在梦里，潮水向在岸边站着的她涌来，奔腾呼啸着，形成一堵通天的水墙。她很害怕，想拔腿就跑，可两条腿就像是被什么东西咬住了一样，总也动不了。直到潮水劈头盖脸朝自己打来的那一瞬间，她才惊叫着从梦魇中醒来。

那是如此真实的一个梦。甚至有几次，她都能感受到水滴打在手上的冰凉触感。

有天，她跟妹妹形容了一下这个梦境：

"很奇怪，我也不太怕水，小学的时候就会游泳了，按说我的性格也不是那种害怕压力的人……为什么会一直做这个梦呢？"

b小姐沉默了一会儿，然后跟姐姐讲：

"你信不信双胞胎之间其实是会灵犀相通的呢？"

"不知道，也有可能吧。"

"其实我也经常做一个梦，和你的这个梦好像是差不多的。"

"真的？"

"你知道钱塘潮的吧？小时候外公每年都会带我去看。其实真正看的时候不是很害怕，还觉得有些刺激，可梦见的时候却不一样，好像自己缩在一间屋子的角落里，水从四面八方就来了，感觉自己马上就要被淹没的时候，就一下子惊醒了。"

面面相觑中，姐妹俩就真的信了"灵犀相通"这件事。

a小姐那时住西直门，离b小姐的学校不算远。于是她在学校宿舍住了不到两个月，便时常搬来和姐姐一起住。

当时a小姐的生意已经逐渐做大，她开始有意地让自己从每天日常的琐碎中解放出来。除了在市场里做常规的服装批发之外，她更多的收入是从买卖铺位和跟人介绍货源中获得。她又雇了几个员工来帮自己做事，需要她亲自出面的，也就是照顾好一些大客户的关系，和南下广州联络供货商。她开始有大把的时间专门用于交际，以及和妹妹在一起。

一开始，a小姐只是觉得，把这个和自己长得一模一样的女孩带入自己的朋友圈，是件很好玩的事，大家议论着她们的相同和不同，从而更印证了自己的美。成为人群中的话题，从来都是最让她享受的一件事。而b小姐则任由姐姐打扮自己，跟着姐姐去见不一样的人，试图通过这些人来恶补自己曾经不太熟识的真实世界。

和姐姐一起出现的时候，她总觉自己笨嘴拙舌缺乏魅力，总带着点羞怯示人。但在所有人看来，这对美丽的双胞胎，一个已经那么骄傲而老练，另一个绝对应该带点拙气的文弱之美，这样的组合才互补，也更有看头和噱头。她的那些令自己不悦的羞赧和青涩，在别人眼中其实是一件让她更有味道的存在。只是她一直都不自知罢了。

两姐妹的生日是8月23日，处女座的第一天。其实如果严格来讲，她俩是凌晨零点左右出生的，医生、护士和家属都很慌，导致并没有人特意去看她们出生的具体时间到底有没有过零点。之所以把生日"定为"23日，是在给a小姐上户口的时候，爷爷想图个

"迎接新天"的吉利，才填了23日。最近这两年处女座在社交网络中总是被嘲笑，a小姐才对外说自己其实是8月22日出生的狮子座。

关于这个问题，b小姐有自己的一套看法。她觉得姐姐那种气定神闲做大事的性格绝对是标准的狮子座，而自己从小爱纠结爱完美，什么事都堆在心里的个性更像是处女座一些。刚来北京的那段时间，她突然特别喜欢研究星座，还曾经有这么一番猜想：有可能是姐姐在零点之前跑了出来，落在狮子座，而自己的出生时间有可能是过了零点的。相差几分钟，就完全不一样了。后来，她把自己的这个想法分享给姐姐时，姐姐脸上有种令她失望的不屑：

"难道星座不就是为了聊天的时候有谈资吗？你还真信了，好傻！"

b小姐反而更信星座这回事了。像姐姐那种爽朗的狮子女是肯定不信星座塔罗这一套的，只有自己这种处女座才会在这种别人看来无聊的事情里反复纠结。她一边检讨着自己的处女座个性，一边默默地再次向自己证明了"狮子座和处女座"的猜想。

a小姐的手肘内侧有一个小小的文身，是一只肥嘟嘟的招财猫，上面有"千万两"的字样。这是她刚刚开始做生意的时候去找人文的。这个年龄的女孩多多少少都有点迷信，她虽不信星座，却总觉得做生意要心有敬畏才能顺势而为，铺位里没有多的地方供奉财神爷，她就干脆去刻了只招财猫在身上，心才安了。后来她想起来，觉得可能是自己当时的调皮少女心性在作祟。

而b小姐来北京不到半年后也去文了身，这是她有生以来做过最出格的一件事。她在和姐姐的文身同样的位置刺了一只同样大小的hello kitty。不相干的人问起来，她只说这只猫没有嘴巴很好玩，也算是自己第一个喜欢上的卡通形象。时隔多年之后，她才承认当时的自己其实是想在身上留下一点什么，给自己太刻板的时光添一些像姐姐那样天真的亮色。

她们在一起生活，一起接受别人的赞美，也曾认真地讨论过彼此性格的问题，也相当坦诚地交换过童年时期对于彼此处境的隐隐嫉妒。她们觉得和彼此对话像是在照镜子，可以从另一个角度看到自己的样子；也像是两块完全不同的拼图，虽然有着相异的斑斓色彩，可全世界只有她们俩能严丝合缝地拼在一起，毫无缝隙。

她们也有过一些理性的争论，像很多少女一样，她们都讲起《红楼梦》。这是b小姐从小到大看过无数遍的书，很多段落她甚至能背得出来，而a小姐只看过电视剧，印象最深的是剧中人的衣饰。有天，她们说起"理想性格"这个无数少女都会思考的问题。

a小姐认为理想中的完美性格就是表面薛宝钗、内心林黛玉：

"对别人，你得学着八面玲珑一点，才不至于吃亏，不过你内心得有自己的谱儿，别人说你什么，你别太在意就行。"

而b小姐的意见完全相反，她说，表面黛玉、内心宝钗才是正常的：

"我觉得和不相熟的人还是不要走太近比较好，这样不太容易受伤害吧……不过内心一定要有变通的空间。"

姐妹俩的这些对话是夏夏告诉我的。夏夏是b小姐的大学同学，也是她为数不多的好朋友之一。那段时间，b小姐经常会拿一些曾经和a小姐讨论过的问题来问夏夏。

夏夏长着一张小圆脸，人很讨喜的样子，显得单纯而热情。她跟我说，b小姐心里觉得自己姐妹俩的性格都太"绝"，是完全相反的两个极端，所以争论才总是无解。之所以来问夏夏，也是想知道"正常人"的看法究竟是怎样的。

夏夏对她说，黛玉和宝钗本是小说里的人物，现实生活中根本就是不存在的。这两个人物写得好，就是在于让人永远说不尽的多层面解读。每个人都有黛玉和宝钗的不同成分，但永远没办法嵌套进某一个模型里去，脱离具体情况而机械地讨论表面如何内心如何，根本就是无意义的。她还讲，"表面宝钗内心黛玉"是基于实用主义的观点，无非是中国人说的外圆内方，而"表面黛玉内心宝钗"的讲法则是更关照内心的人生观层面，并不是一码事。

她又补充，这姐妹俩就像是一对恋人一样，之所以总是讨论这些事，不过是急着想进入对方的心灵，急着在很短的时间里，把对方前十八年的人生全部经历一遍，好把错过的十八年在最短时间之内补回来。夏夏一度很羡慕这样的关系，说这种"世界上的另一个自己"的感觉真的很棒。

可是后来，夏夏小姐就不太羡慕b小姐了。她说，再好再长的姐妹关系也抵不上情海生波时的一瞬。那对双胞胎那两年确是关系很好，可是直到a小姐爱上一个人时，一切就都不一样了。

周先生

　　a小姐爱上一个男人，他姓周。

　　许多年之后，当她想起最初和老周的相遇，只觉得这应该是个小概率事件吧——他们完全就是来自两个不同世界的人。

　　可该发生的事就是发生了。

　　说来也巧合。那时的a小姐平时不太去诸如酒吧台球馆这种人多纷杂的地方，和朋友们的聚会一般都在KTV包场或是两三家固定的餐厅里。也不知道为什么，她在一个月里面居然跟着同一群朋友去过好几次这家台球馆，每次去都当自己是看热闹的，每次都碰得到这位周先生。

　　周先生当然也注意到她。

　　那时，a小姐的头发烫着细卷，经常不太听话地蓬起来。她经常把头发随手一扎就出门，辫子在后面拖成一个长长的扫帚状的尾巴，很多人都以为她是故意做的什么造型。有时候她刚洗完头就出门，满头湿答答的，就拿一根很廉价的发带拢着，穿着拖鞋和睡裤到处走，可即便这样，她还是出众的。每次她来到这家台球馆昏暗的大厅里，整个房间都好像被点亮了几度似的，所有拿着台球杆的后生们都不自觉地蠢蠢欲动起来。

周先生自恃识人无数，但这位让人不得不注意到的美人实在让他有点摸不清来路。从年龄和举止上看，她像是学生，总是发出一些很孩子气的感叹；稍稍装扮一下的时候，气质又像是家境很好的女孩，从没在衣食住行上发过一点愁的那种。可有时候，她的样子和他想象中又不太一样——偶尔坐在角落里抽烟，也说几句粗话，经常从外面疯跑进来，或是打着一个焦急愤怒的电话，像是在谈着什么生意。

擦身而过时，一阵玫瑰香就会从她头发里散出来——绝不是化学香精铸就的假花气，而是带着点新鲜水味和涩味的、开得正盛的花气，有点像快要腐烂掉的荔枝，带着些危险的意味。这该是什么牌子的香水吧。周先生心下着实有点好奇。

在这家基本都是熟客的台球馆里，关于周先生的传闻有很多。客气一点的人大多用"神秘"二字形容他。

他也是双胞胎之一，母亲是香港人，父母和弟弟现在都在北美。他二十年前和弟弟一起到加拿大留学，弟弟很顺利地读完了生物技术专业，又深造了几年就理所应当地成为异国的栋梁之才，而他，读了一个文科专业，最后不知道为什么没拿到学位，心灰意冷之下就回国了，那里再好也不想回去。弟弟博士毕业那年，全家就一起移民过去了，父母是为了颐养天年，弟弟在那边也成家了，他心里始终有点意难平的挫败感似的，总也不愿意过去生活，打定主意烂在国内。

周先生总说自己是"职业闲人，资深loser"。不管知道不知道他背景的人都只当是他开自谦的玩笑，也不相信。他有种冷峻的书卷气，头发微白了，让原本应该很英俊的他看起来有一点落拓。他不缺钱花，父母早年在国内的投资，托管人要想动都要经由他的手。他一天班也没去上过，有几个饭馆的股份，并没有家室拖累。

他是把玩当生活的人。他的爱好和任何有点钱的男孩没什么不同，无非就是汽车和手表这些。传说中，他有两辆什么牌子的跑车和几块什么配置的陀飞轮，只是传说而已，谁也没见过。他每次都开一辆老奥迪，一个人来，有时候骑哈雷摩托，胡茬也不刮，穿着刮花了的旧皮衣。他自己带球杆，枫木的"美洲豹"，在国内买不到也修不了，于是换皮头和抛光都是他自己动手。

据说他有个前妻，是某位房地产商家的二小姐，和他一样懂点艺术，品位很好，曾经也被人看作是不错的一对儿。后来散了之后，女方曾经跟别人说过，离婚的原因是"他太自我，和他一起感觉不到被爱"。

此外，他不爱旅游，害怕坐飞机，从不讨女人欢心，有点消沉，有点脏。

听起来好像是有点言情小说男主角的意思，但这样的人一旦出现在生活中，大概不太会有人真的敢去爱的。

a小姐的朋友大部分都是爱玩又不缺钱的男孩，没有人喜欢周先生。他们经常会在台球馆碰到，偶尔会一起打一场，聊聊摩托车那些玩物，但大家都觉得他喜怒不形于色，并不合群。他总一个人来，并没有和谁特别好，他心里在想什么，也根本就没有人知道。而且他在场的时候，气氛总是会莫名其妙地有些紧张起来。

周先生说话总很硬。也不是针对谁，就像是随便说说似的。他说自己十年前就在这家台球馆里玩：

"懂玩的人越来越少。那会儿还能有一个两个对手，现在老了就只能是独孤求败了……"

一边笑笑地说着，一边拿起球杆。瞄准。撞击声很干脆，球飞速进了网袋。

当a小姐决定和周先生恋爱时,一众朋友都在反对。大家觉得她样子好,会赚钱,家境也过得去,男朋友该是一个体面、正直且有前途的人。可这位看上去总心怀叵测的周先生马上就要四十岁了,据说手里握着的投资和股份都是家里的,他过得太舒服了,玩,就是他的事业,貌似和啃老族也没什么太大区别。

可a小姐却摆出了一副"他满足了我对男人所有想象"的理直气壮:

"你们就当我生病了鬼迷心窍了吧,可是我心里是明白的呀,你们只知道找对象,却不知谈恋爱,我又不是马上要结婚,就只是想谈一个恋爱罢了。"

有人说,她不过是在寻找刺激而已,看上周先生是因为对方是自己不熟悉的那类人,熟悉一点的人还会半开玩笑地说她是出于恋父情结。她立刻尖锐地反对:

"我爱他,就是他这个人,不是因为哪一类人。别人谁都不行。"

她一副微醉后的样子,哑着嗓子。样子太决绝,谁也挡不住。谁也看不透她心里认真的程度究竟有几分,像是把自己全部投入进去了,但又说着不计后果,图的就是痛痛快快爱一场。反正,一向精明强悍的她露出这番真性情的模样,很慑人。

她才20岁,还输得起。朋友们是怀着这样的心态去想她的这场恋爱的。小宇说,其实他当时心里是有点酸楚,圈子里很多人也是一样的感觉。那阵子，好几个经常一起玩的男孩都找借口不去台球馆了。

可他们确是一对璧人。

a小姐其实并不太爱打台球的，以前去台球馆都是看着朋友玩。她从来都不喜欢诸如打牌、麻将这样的游戏，她总说"算账已经够烦人，不想要心里再算计了"，可是，和周先生恋爱以后，她居然开始练打球，也开始上牌桌了。过了不到半年，在经常去这家台球馆的女性玩家里，也算是一枚好手了。

周先生喜欢小赌怡情，过一阵子就到澳门玩一把——他不喜欢坐飞机，每次都先转两次火车到珠海，然后再从陆上过关。他在那里玩一种需要心算的游戏，每次都能赢点钱回来。她瞒着家里人陪他去，颠颠簸簸一去就是十多天，有时候会顺道拐到香港去买东西。但周先生似乎从未给她买过什么，去香港也不过只是带着她到星街会一下开咖啡馆的旧友，或取一块上次来时订的手表。

周先生对她也不是不好，只不过他从不像年轻的男孩那样只会用言听计从的方法来表达对女朋友的爱。a小姐是在男孩的奉承中长大的女孩，她觉得那些年轻人的招数都太笨拙了，她不喜欢也不在乎。她说周先生给她的是一种宽厚的爱，指点她，辅导她，凝望她。她开始看一些书和电影，买了黑胶唱机放在家里。那年春天，她与周先生一起去看了《伊莎贝拉》，散场的时候他说，电影里梁洛施的样子与初次见她时很像。于是那段时间，她把自己的网名改成了"Isa"。

　　她的样子也变了。之前的那段时间她一直都穿得很随便，因为是做服装行业的，衣服在她眼里不过就是货物而已，前两年在摊位上盯着、要化浓妆的生活也让她厌倦，所以平时和朋友玩的时候，基本就是怎么舒服怎么穿，甚至经常是夹趾拖和旧T恤就出来了。可后来，她被周先生的旧式审美影响，她开始穿法国牌子的大衣和意大利的丝袜，买了几个设计简洁的皮包，身上出现的大多只是黑白两色，配饰只有细碎的金链子和小粒的珍珠。

　　她把头发拉直，露出光洁的额头。周先生有时候并不陪她，但她全副打扮往往只是为了去周先生的餐厅里吃一顿一个人的午餐。员工们私下里会叫她"老板娘"，也有意无意地给她听见，让她心情大好。她的朋友跟她说，女人一旦恋爱，就会把自己往花枝招展上打扮，只有她反而愈发素净了，她甜笑：

　　"他不喜欢那种大蜜款，他说看着那些花花朵朵的就闹心。中年老男人都有点精神洁癖，没有办法。"

　　她那时候总是带着点品位至上的骄傲。周先生说，喜欢她的原因并不是因为她的美，而是因为她性格里"单纯的世故"，她像每一个犯傻的小女孩一样，把这个词告诉许多人。

周围的人听惯了她的唠叨，难免被她过分的喜悦感染，可大家都说她的状态是只有单纯而没有世故，把自己完全交给一个经验老到的男人，实在是太危险的事。

这么说的人，当然也包括她的妹妹b小姐。

还是周先生

我问过小宇，他是不是曾经喜欢过a小姐？

他几乎要跳起来：

"没有！我至多算是她粉丝！"

小宇是我认识的北京男孩里最典型的一个。他嘴贫，懒散，爱玩，心善，有点江湖气。他也是上职高的时候就琢磨着开始做生意，比a小姐早一两年入驻"动批"，专卖真真假假的国外牌子的滑板服。a小姐来了以后，摊位就在她对面，对于美女，自认在市场里混得不错的他当然要格外照顾一些——忙的时候帮她买过饭，办各种证的时候帮她跑过腿，竞争对手和客户过来找麻烦的时候帮她挡过架。

老市场拆迁以后，小宇得到一批款子，加上这几年赚的钱，他注册了公司，租了写字间和仓库，代理了一个品牌的休闲服，生意算是从地下转到了地上。这几年他又开始做网销，雇了十多个员工，名下有两家出货量很大的天猫店。

那段时间，他经常跟别人说a小姐是自己认的干妹妹，a小姐也很配合地叫他"我宇哥"，这对他来说是件极有面子的事。他后来也交过几个女朋友，都是玩玩就算了，几乎没有一个超过半年的。不管他怎么否认，我总觉得他一定追过，或准备追a小姐。在我不怀好意的追问下，他又改口说：

"像我这种屌丝怎么可能打女神主意呢！"

说起a小姐和周先生的恋爱，尽管很多年过去了，小宇还是一副替她不值的样子。

"她那种女孩，看着挺聪明的，那会儿就跟傻了似的。你说，她那会儿也就是一个小女孩，找个年纪那么大的男人，不就是想图个他成熟、能照顾人吗？可是像老周那样连自己都不想照顾的人，也真是不知道她要图什么……"

a小姐觉得周先生是自己的精神导师，她和很多女孩一样，企图从感情里找到某种类似父爱的成分。但在别人看来，周先生的所作所为并不像个成熟男人，有时候，他反而比a小姐更像个孩子。

周先生眼神里总是带着点空茫，盯住一个地方发呆，什么都不想，什么都看透了似的。大多数的时候，他并不怎么修饰，可有的时候会突发奇想地把胡子刮掉，鬓角留长，梳一个油头，带着点故作的孩子气，等着被别人发现和夸奖。他有过一段被女人包围着的年轻岁月，也着实有一张不错的皮囊，加上多年的随心生活熏陶出的不与世俗为伍的隐隐骄傲，他总是会吸引着某种特定的人。

他的朋友是另一个圈子的，都是一些以闲为乐的人，大家因为一些相同的嗜好聚在一起。玩古董的商人，餐厅和咖啡馆的投资人，还有一些职业的二世祖。他在城市的西边有一个住所，但他总睡在自己的餐厅的楼上。有几个顶着名媛或遗孀名头的女人来这家餐厅吃饭，就是为了捧他的场，来之前往往先要给他打电话，确定他有空作陪才来。他在那些女人面前总做出一副乖顺的样子，女人们说一些轻薄的话，他也就轻薄地接着，带着点懒洋洋的笑意。

长日闲散中他也读过一些书，买过和卖过一些画，也和一些文化人或是媒体人有点来往。他当然有他的桀骜，只是已经到了和世界和解的年纪，对于世界给自己的一切，好的坏的，他好像都不分青红皂白地全盘接受了。而他对自己做的一些事情，只是因为某种原始需要而已，比如，找一个年轻到几乎和自己不是一个辈分的女朋友。因为她漂亮，带得出去，没有一般的年轻女孩那么不懂事，还对自己崇拜且百依百顺……

关键是，她会让自己觉得，总算还年轻着。

有时候，a小姐会带着b小姐到周先生的餐厅里去。b小姐当然知道姐姐想要拔头筹的小心思，当然她也不太喜欢两个人一起出现的时候，众人的目光分一半在自己身上的时刻。于是每次她都存心做个配角。a小姐穿高跟鞋，她就穿运动鞋；a小姐那时是一头乌黑的长直发，她就梳一个斜刘海的马尾，穿着上体育课时穿的最不显身材的运动服，带着框架眼镜，鼓鼓囊囊的样子。

一开始，周先生把b小姐划进"不好搞定"的那类女人里——她太安静也太别扭了。他总是就她过于土气的装扮调笑两句，像是有意要轻蔑一样。b小姐却不认为那种轻蔑有冒犯到自己，她觉得周先生本是一个有骨头的绅士，他一定是藏起来了一些什么。看着他迎来送往，看着他谈笑风生，b小姐总觉得他有点傻。

周先生有一个朋友兼合伙人，姓张。

张先生和周先生同岁，做金融出身，喜钓鱼，喜健身。他也离过婚，用他自己的话来说就是"没有离过婚的人生不算完整"。张先生出身并不算好，凭着自己的打拼才走到现在，早年在证券公司赚了一些钱之后投资餐馆。他人长得很普通，但常年的运动习惯让他的气质优势到了中年便慢慢显现出来，一副精干强势的样子。

他很会捧人，总说周先生就是他们这家餐厅的艺术顾问和偶像招牌：

"像我这种粗人也就是做做饭炒炒菜，像老周这种招人的男人，我对他，就跟供财神爷一样！"

但餐馆的熟人都知道，真正的管理者是张先生，财务和人事权力都掌握在他手里。周先生其实本不是善于做生意的人，他只是善于聚拢某些会花钱的人。经营餐馆这件事，只是要给自己找点事情，多几个可以名正言顺聊天的人罢了。

张先生开始追求b小姐，带着某种中年男人对清纯学生妹的倾慕，像是要弥补一些什么似的。他曾经当着周先生和a小姐的面说：

"我注定了是要和你老周做连襟的。"

他可能觉得有点得意，有一种"你可以找真正漂亮的年轻女孩，我也可以"的样子，a小姐心里只觉这话说得略微有点猥琐，至少这种男人之间的玩笑是不该当着自己面讲的。周先生却在想，b小姐是自己这个有点俗气的朋友追不到的，她喜欢的男人绝不会是这种路数。

张先生果然用了一些很无趣的招数。他送包和首饰，开着宝马车到学校门口等着，到高级的餐馆去用晚餐，摆出一副全世界我只为你砸钱的模样。b小姐去了几次就不去了，她总是泱泱地提不起兴趣来，宁愿去和附近咖啡馆里的打工学生约会。

a小姐有时候会对自己的恋爱感到不安。她像所有想要保卫领地的雌性动物一样，开始要求更多。

她急着想让周先生去见自己的家人，可他两边都不想见。周先生自然是觉得既然没有结婚的打算，就不必和家庭扯上关系，自己并不比女朋友的爸爸小几岁，去了也是尴尬。最重要的是，他不喜欢那种需要自己真正低声下气的氛围。而a小姐的爷爷奶奶一听说孙女的男朋友比她大18岁，两个人眉头都皱得很紧，也不发表什么评论，只说"等你爸下次回来再说吧"。

讨没趣的事情，a小姐还做过一些。她不想自己的"老板娘"身份只在餐馆员工的奉承里出现，她想介入周先生的生意，想以帮忙的名义看餐馆的账，但周先生不想自己在合伙人那里有越权之嫌，两个人因此吵过一架。她后来又提出自己也想做合伙人，手里暂时没什么可流动的款子，就找小宇做中介，要把自己手里的摊位卖掉。当时是夏天，入市的人很少，小宇劝她等一等，她偏要急着出手，像是要急着摆脱自己小生意者的身份一样。最后，把摊位以很低的价格抛了，餐馆的股份却没入成。

小宇说自己去过周先生的家，是和另外三四个朋友一起。那是一次很尴尬的做客，他本不想去的，周先生也从来没有邀请过他们，但a小姐非要他们去，结果却落的主宾都不高兴。

小宇原以为，像周先生那样的人的房子应该如何如何地有品位，但进了门他却很失望，这所房子几乎可以用"家徒四壁"去形容了。房子本身是很好的，在城市西边一个安静的小区里，是一个两百多平的跃层，但显然没有怎么装修过，不知是不是刻意追求的粗粝质感。客厅的家具都用布蒙着，看上去只是一个单身汉睡觉的地方而已。只有柜子里的几根天价球杆和茶具烟斗这些与嗜好相关的东西"算是有样子"。

a小姐招呼着，给朋友们倒茶喝，铺起麻将桌要大家玩，可她过度的热络令人尴尬，主人周先生坐在一旁冷冷看着，没坐一会儿就上楼去了。

周先生之死

周先生和b小姐一起失踪那天，是个星期五。

a小姐那天照例到周先生的餐厅去。每个星期五中午是餐厅的例行盘点时间。饭点过后，老板、经理和领班会在楼上的办公室聚齐聊一下这周的采购事宜，会计也会把本星期的总账拿过来给两个老板一起过目。除非有特殊情况，周先生一般都在，所以每周五a小姐都会习惯性地过来吃中午饭，然后企图以"准合伙人"的名义旁听这个简单的例会。

这天直到下午两点，周先生也没有出现。手机也一直关机。无论是张先生还是所有的员工都说不出一点线索来。

周先生这个人的性情不是别人轻易能捉摸清楚的，但他绝不是一个轻易玩失踪的人。如果他在北京，行踪一向是固定的——自己经营的这家餐厅，参与投资的另两家餐厅，台球馆，几间固定的茶馆或是自己的住所，偶尔去给什么展览捧个场或是去潘家园卖古玩的地方随便逛逛，最多就是周末去小汤山泡个温泉。他的生活很规律，除了这些地方，一般不会有其他去处。半个小时内，a小姐把所有他可能去的地方都打了电话，所有接电话的人都莫名其妙，说完全不知道。

打了十多个电话后，a小姐呆立了一会儿，又给b小姐打了电话。与她隐隐却不愿承认的预料一样，b小姐的手机也接不通。一开始是无人接听，后来索性关了机。a小姐又联系了b小姐的好朋友夏夏，还给b小姐正在约会的小男朋友打了电话，大家都一头雾水地表示，没见着。

张先生让a小姐"先通知家人"，说起码周先生这样一个大男人应该不会有什么危险，倒是b小姐，这么一个漂亮的花季少女，她的失踪要更严重些。

一家人自然乱作一团。还在广州工作的爸爸即刻订了机票往北京赶，爷爷报了案，警方说要满72小时才能立案。于是每个人都拿着电话在家里焦急等着，商量着是否要通知b小姐的学校和浙江那边。

一向爱说几句刻薄话的小妹妹欣欣放学回家，看到这个阵势，冲着a小姐把嘴一撇：

"这还能是什么呀？肯定就是你那个老男友把她拐走了呗！否则就是两人一起私奔，为了躲你嘛。"

继母一把将欣欣拉到身后，让她别乱说话。a小姐闪过去，揪住欣欣的衣服领子：

"你再说一遍？"

欣欣张张嘴，还想反驳点什么。a小姐脸上的肌肉抽动了一下，放开欣欣，瘫坐在单人沙发上。

所有的人等了将近三天。周日的晚上，b小姐不动声色地回了学校。

她先是给家人打电话说自己没丢，就是"和朋友出门散了散心"。爸爸立刻来学校找她，平生第一次把这个乖女儿劈头盖脸骂了一顿。随后就是盘问，但b小姐打定主意什么都不说，爸爸料想这件事一定是和姐妹俩的情感纠葛有关，他从未在这件事情上多做过问，此时再问倒是更凸显了自己父亲角色的失职，于是确定女儿安全之后，就回家了。随后，b小姐到通宵自习室准备了一晚上第二天要交给老师的毕业设计大纲，像什么事都没发生一样。

周先生也回来了。他去看了看餐厅的账就去找了a小姐。她围着他转了两圈，手脚都检查了几遍，确定他身上确实没少什么后，明明有一肚子话，却不知从何问起了。

眼前的周先生直看着她，带着点她最爱的、像看透一切的浅笑，若无其事似的。她想问，却不敢问，一直斟酌着，不想让自己的问题让他觉得是盘问或是责问一样，反而更不想回答。

相对无言。他先开了口，还是笑笑的：

"我知道你想问什么，那我就坦白从宽了，不过你可得挺住。"

"……说吧。"

周先生告诉了a小姐两件事。

第一件。这个周末，确实和b小姐在一起。他在昌平有个别墅，一直没怎么去，也没告诉过别人，这几年都是找人看着。这次是带着b小姐去了一趟。但"确实什么都没干，只是想找个安静的人说说话"。

a小姐选择相信。

事实上，她在这两天里做了无数种设想，得到的结论是，无论他们是不是去了同一个地方，无论是不是像欣欣说的"私奔"或是更不堪的任何可能，只要两个人能平安回来，自己都一定是可以接受的。而且，一开始不就说好只谈恋爱不问前程的吗？她做过检讨，自己确实是太急了点，也许会逼得他想逃走。他不是那种能受得了束缚的男人，所以这件事一定是错在自己。只要他还愿意跟自己在一起，回来之后第一个找的人是自己，那么她宁愿不问。放下心里所有的好奇和怨念，从头开始。

"第二件。你得挺住。我病了，是淋巴癌，晚期。"

a小姐愣了几秒钟，却笑了。她说："你骗人，又不是演电视剧，那你说说你还能活多久。"

"医生也没跟我宣判一个准确的数字，好像跟电视里演的不太一样。我觉得也许就是半年或是一年吧。是准备做化疗的，但不知效果会怎样。"

他越若无其事地说这些话，她心里就越凉。可是，事实就是事实，不由得她不信。第二天，她陪着周先生去了医院，和医生面谈了一次，这才真的信了。

她替周先生跟他在加拿大的家人打了电话。很快地，他的双胞胎弟弟飞了过来，劝他过去那边养病，他不肯，说是国内的饭吃得惯了，如果要做化疗的话，朋友们会经常来看自己，也热闹些，过去北美并不一定舒服。他说，自己在中国上了一份外籍人士的医疗保险：

"有生之年居然也能用得上这份保险，那么还是不要浪费了吧。"

弟弟在国内呆了两星期，又飞走了。他在那边还得上班，还有家庭需要照料，不可能一直耗在这边。周先生的父亲当时患了中风，当然也不能坐飞机，母亲自己来了一趟，可父亲在那边就没人照顾了。不到一个月，她也飞走了。

周先生后来又活了八个月。发病是在他39岁那年的初秋，来年4月，人就没了。

那年，两位女主角22岁。

那段时间，a小姐几乎把所有的时间精力都用在照顾周先生这件事上。小宇也去医院探过一次病，他说，探完之后的好几天，他整个人都很抑郁，因为以前从不知道会有一种病可以这么快地吞噬一个人的生命。那时的周先生已经瘦到不成样子，化疗也做了，但成效并不大，头发却一根一根都掉光了。他整日发高烧，浑身痒，大多数的时候意识都不太清楚。a小姐就日日夜夜陪着，半年里也跟着瘦了十多斤，头发也掉了不少。她去找了很多中医和偏方，还去了一次新疆求方子，千里迢迢折腾了好些天，用在他身上也算是有点成效，但并不明显。

b小姐也去医院探病，但只是作为a小姐忙不过来时的一个帮手。她像是避嫌似的，从不近身，在病房外面的沙发上静静守着，帮着招呼一下来看病的相干或不相干的朋友，或在家里熬点汤药送过去。医院里来来往往的人都以为这对双胞胎是周先生的女儿或是妹妹。她们俩藏着很多话，谁都不提起，也几乎不谈周先生病情之外的事。

病情到了后期，有段时间居然略有好转。周先生找律师立了遗嘱，直接就给a小姐看了。在北京的两处房子，包括城西的住所和昌平的那座院子里布满绿植的别墅，以及她曾经想要的饭馆股份，全都给了她。看遗嘱的那时，有一瞬间a小姐突然只觉得自己可怜：这幢别墅就算归了自己又有什么用，自己真正得到的，都不及妹妹与他在那里真心相处的三天——他一定是告诉了妹妹什么不想给自己知道的事吧。想到这里，她就哭了，跑出病房，平复好久才回来。

后来，她突然提出想去和周先生领个证。周先生只说太麻烦，自己拿的护照是加拿大的，要在中国结婚恐怕还要走太多程序，自己经不起折腾，还是算了。连个最后的名分都不能有吗？她又一次背着他哭到崩溃。

周先生死后，a小姐张罗了一个简单的葬礼，把骨灰交到了飞过来收殓的弟弟手里，周先生的衣服以及其他遗物都自己留着，还放在城西的房子里。

b小姐也去了葬礼，也哭了。从葬礼回来后，她就默默收拾行李，住学校去了。过了两个月，她毕业了，匆匆回了趟老家，却只字未提自己之前常说的想要回老家工作的愿望。周先生病入膏肓时，曾经托付自己的一个朋友帮她找工作，她去那家周先生介绍的公司报了到，在城市的另一个角落租了房子，每天去上班。她之后的一两年间都没有跟姐姐有什么联络，偶尔她们会去看爷爷奶奶，但也是刻意避着彼此。

之后的一些年，b小姐经常会想起那三天。因为对她来说，这三天几乎就像是一辈子那么长。

那个初秋的星期五早上，天气已开始微凉。她早早坐在教室里等着上选修课——这是她选的最后一门选修课了，接下来，她打算用一学期的时间做毕业设计，然后再想想自己到底是留在北京、去上海或是干脆回老家。

她接到周先生的电话，第一反应是这位总带着点醉意的先生打错了，虽然也存了彼此的号码，但他找自己干吗呢？

"你好，周先生。"

"你在学校吧？"

"在，马上上课了。"

"我在你们学校北门，你出来一下，找你说点事。"

"我姐和你在一起？"

"不在，就找你。"

他的语气很冷，于是她的声音也比平时显得更冷些。可他的冷里带着点强硬的态度，不同于之前她见过的那个轻飘飘的他，这种矛盾让她感到一股吸引力。于是，像是鬼迷心窍一般，她收拾东西向学校北门外走出去。

后来，她想，那时的自己，之所以放下电话就决定去见周先生，是不是因为自己的处女座个性呢——总是不善于解释，但总是在关键时刻选了最不该选的那个选项。

但无论如何她不后悔。

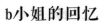

b小姐的回忆

"你像夏天只爱自己，我却等你一个四季。"

几年后，每当b小姐回忆起她和周先生一起度过的那三天，准确地说，只有60个小时，她总是在心里轻轻哼起这首歌。

歌里唱的你和我，到底是自己、姐姐，还是周先生？或许，人和人之间欲予欲求的关系，本来就是这样怎么说也说不清楚的事吧。

那天，b小姐穿了平日里常穿的浅色半裙，晨间的气温有点凉，出门前，她套了件藕荷色薄针织衫。她远远地看见了停在学校对面的那辆老奥迪，他也看到了从学校里走出的她，裸露的小腿在晨雾里显得尤其好看。他伸出头，冲她吹了声口哨。

路人好奇地冲他们看。她慌忙坐进车里。

"你有什么事情吗？"

他没吭声，一踩油门，直接把车开上三环路，马甸桥拐弯，上了京藏高速，一路向北。

她心里有点怕怕的，又不知怎么问，只能从内后视镜偷眼看他。他好像一夜没睡的样子，眼睛里全是红血丝，脸颊比平日里见他时凹进去一些。脸上出油，胡茬也没刮，眼睛定定地看向前面，像是怕一走神就把车子开到人行道似的。过了四环路之后有点堵车，两人的目光才在镜子里相遇。

"你和我姐之间……怎么了吗？"

周先生不知是真是假地笑了：

"没有啊，我就是想找个人说点事……"

居然这样漫不经心。b小姐一时间有点气。有什么事直接找姐姐讲不行吗？于是她说，有什么事就在这里直接说，不要兜圈子，说完就要回去上课了。

"嗯，想知道你心里是怎么看我的。"

"你？成功人士呗。"她没什么好气。

他又笑："要说实话。另外，别讽刺人好不好。"

"是实话啊，你和老张是我认识的最成功的人。"

"老张是，我可不是。"

"否则要我怎么说？像你自己说的，资深闲人职业loser吗？"

他却不笑了。把车子靠路边停了下来，手支在方向盘上，直看向她：

"你看看你，要不老张怎么总说你这个人别扭呢。我是真心问你的。要不这样，你跟我讲实话，我告诉你我的一个秘密。"

"你神神秘秘把我带到这里，就是为了玩交换秘密？那我告诉你好了，我觉得你很幼稚，很傻，没什么正经事，闲事倒是自以为做得很妙……"

"不错，有点真话的样子了，然后呢？"

"你应该去问我姐啊，她肯定会做出让你满意的回答的。您就别磨时间了，要说秘密就赶快说吧，现在我回去还能赶上第二节课……"

周先生从贴着心脏的口袋里掏出一张纸给她看。一张叠得整整齐齐的诊断书，上面写了很多潦草的字。她也不太懂那些医学术语，只看懂了包括"恶性肿瘤"和"已发生病变"和"建议开始化疗"在内的几个词。

她听见自己的心跳，却不知该做何反应。沉默中他又把车子发动，一路无话。她低头，仔细看着那张诊断书，一遍一遍地，像是要把每个字都背下来似的——后来，她发现自己居然确实背下来了。

所有的车都和他们反方向往城里赶，一路很顺。到了昌平县城，已是十点左右了。周先生把车子停到一家商场门口，把钱包掏给她：

"去买点换洗衣服和要用的东西吧，顺便再买点吃的，我在这等你。"

"什么意思？"

"哦，我在这附近有个房子，想过去让你陪我两天。"

看她有点踌躇，他又笑：

"你看我都快死的人了，还能对你怎么样？你要是信不过我，现在拿着我的钱包就走，打车回去，跟你姐告状或者直接报警，我都没意见。"

b小姐一直都觉得周先生讲话的声音很好听——他是在香港出生的，少年时曾在上海待了几年，后来又去了北美和一些台湾人厮混，20岁以后的日子，他基本都待在北京，这种混杂的口音反而让他的发音比她见过的任何人都显得字正腔圆。他语速有点慢，且有种语言上的洁癖，就算是随便说的话也要经过字斟句酌才说出的那种调子。有讲不清楚的词，他决不含糊，宁愿用英语或粤语的词去代替或是补充。他笑的时候总拖着点鼻音，像是要把自己所有的虚情假意都故意展示给你看似的，反而显得比那些努力掩盖的人更真实了。她曾经想过，如果有一个人用这么好的语感跟自己说情话，一定是极好听的吧。

她默默打开车门，走进商场，买了点洗漱的东西，又去打包了点快餐，然后去楼上选了套内衣裤。她还刻意挑了一下款式，这个下意识的行为是她后来想起这60个小时的时候，面对自己最尴尬的时刻。

周先生应该很久都没有来过自己的这座独栋别墅了。院子里的小小凉亭里爬满了疯长的藤蔓，他拿出钥匙左转右转，转了很久才成功把门打开。他带着b小姐到楼上，安置了她住的小房间，絮絮地交代了一些主人应该说的话。

"如果不放心我，天一黑你就进屋，把门从里面反锁好。书房里有很多书你都可以看，我再给你找个笔记本电脑，把网线连过去……"

她突然有点不耐烦地打断，问："这房子没人管吗，这么好的房子为什么没带姐姐来过？"

"这几年是找了个附近的师傅，过半个月就来打扫一下。本来买这房子就是想一个人清静清静的时候过来，可是后来跟你姐在一起了，不知道为什么就再也不想着一个人待着了。可能是觉得没必要了吧。"

"可是我还是没懂，你想找人讲话，为什么会找我？跟我姐说不就行了？"

"你还不知道你姐吗？她要知道我这个情况，不得立马疯了？肯定急冲冲的，搞得悲悲切切的，还恨不得全世界都跟着她一起悲情，还能给我讲话的余地吗？"

"那你的那些朋友们呢？你那么多朋友，没一个能听你说话的？"

刚一出口，她就觉得这句话着实是问得多余了。

太阳已高照了。两个人清理了一下院子里的凉亭，坐下来吃刚买的麦当劳。

"你是不是觉得我挺配不上你姐的？"

"不会啊，你们俩挺好的，我姐那么喜欢你，一定有她的原因的。"

"我忘了是谁说的来着，像我这种一事无成的老男人，也就是骗骗你们这种小姑娘了……"

她笑了：

"也不是啊，去你们餐馆的那些见多识广的女人，哪一个不是为了你才来的啊？"

70

太阳透过藤蔓，闪闪烁烁地照进来，像碎的金子一样，晃得她眼睛疼。说笑中，她突然有点搞不明白自己和眼前的这个男人究竟身置何处了。他真的是姐姐的那个有点魅力又总冒着傻气的男朋友吗？他真的刚刚告诉自己他得了很严重的病吗？而自己，自己就真的这么逃了课，和这么一个不算知根知底的男人一起过来这个莫名其妙的地方了？姐姐要是知道了，不得好长时候不理自己？

不，好像这都不算什么。此刻，眼前的他，大口吃着汉堡和薯条，喝着可乐，像是个从未吃过好吃东西的孩子一样。

她突然想起来：

"按你现在的身体状况，是不是不太合适吃这些东西了？"

"吃不了多久了，一旦开始化疗就得按食谱来了。再说我都多少年没吃过这种垃圾食品了，没想到居然这样好吃。让我再按自己心思吃两天吧。"

吃完东西，默默呆了会儿，周先生说自己有点困了，就在楼下客厅里和衣睡了一觉。醒来以后，唤她去小区门口的药房买体温计，她一量，有点低烧。她烧了水，让他把他自己带的药吃了。他又沉沉睡了，她坐在楼上朝西的书房门口看书，低头就看得到客厅正中间沙发上的他。

她看了看早上就关静音的手机，有姐姐的三个未接来电。日光一寸一寸地在地板上移动。她深吸一口气，把手机关了。

晚霞出现的时候他醒了，突然变得精神很足的样子：

"跟我去湖边看看日落吧，很漂亮的。"

驱车十分钟，到湖边。又沉默。

"你怎么过的生日？今年我霸占着你姐，真是不好意思了。"

"没事，她跟我说了，你给她安排的生日挺好的。我刚好回了
趟老家……"

"再有一个月我也该过生日了，过完生日就40岁了。"

"没事儿，男人的年龄没那么重要的。"

"本来想着这辈子都不会跟我弟一起过生日，看来今年应该有
点希望了。"

越悲哀的事，在他嘴里说得越平淡，还非要带着点自以为是的
幽默。"都这样了，还扯那些没意义的事干吗呢？"她说：

"你跟我说说你的事吧。"

"你真的会有兴趣听？"

"嗯，说吧。"

湖光山色。他开始讲他的事。

剪刀手米老鼠

　　说起来，周先生这39年的故事也并没什么特别。没有生死别离，也没有太多的惊心动魄，最大的事件不过就是与父亲的长期不睦，以及结婚和离婚。再有，就是与a小姐的恋爱。他说，自己的这次生病导致接下来要上演的事情，恐怕会成为这辈子最"洒狗血"的事件了。

　　她做出聆听的姿态，他反而有点尴尬。

　　"不由分说找你出来，你就当我是任性吧。"

　　"其实没关系，一开始我也不知道你是这个情况……"

　　"我这辈子没做过什么大事，小的荒唐事倒实在不少。有时候荒唐到我自己都觉得奇怪，为什么当一件事情我做好了准备，它却总也不来，来的事情却总是我从不曾料到的？你知道我拿到诊断书的时候，最害怕的是什么吗？"

　　"什么？"

"我以前总觉得自己如果有一天死了，一定是一个人孤孤单单地躺在床上，总不会有人为我感到悲伤吧。可是现在，我没办法想象自己怎么面对别人因为我产生的悲伤，而且要面对几个月……太长了。那太奇怪了，像作戏一样。我必须得来这里待两天。"

周先生讲话总是很淡，像是怕一激动就会惊走她似的。太阳落下去，月亮升起来了。暂时幽暗的湖水渐渐有了点亮光。他手里捏着一支烟，轻轻地皱着眉头，他的侧脸在月光里像是蒙上了一层雾。

b小姐静静听着。她的安静与暗的光线让他安下心来讲话。他的骄傲，他的侥幸，他的失败与伟大，他总是在错过的人生。她想，所有的事都并不算是很好的故事，如若不是由眼前这个人，如若不是对着这么美的湖水，自己只怕都不太有耐心听进去的。

她一直觉得，在这个世界上，除了亲人和至交以外，每个人都是孤独的一个人来，一个人走。而自己，对不相干的人从不会有什么本质的兴趣。

这次，似乎眼前的这个人，是不同的。

他说起a小姐。

"她总在说我不够爱她，对她没有热情。怎么会？我多少次跟她讲，我这个人就算荒唐，可起码从不会做违心的事。可她不信。"

"她应该是觉得你不想跟她结婚，所以……"

"你们到了我这样的年纪，应该会明白一些了。我确定自己很需要她，而且需要的只有她。她那样美，那样直接，而且单纯，可我，我慢慢老了，在婚姻上也失败过，我怕我会再一次把事情搞砸……"

"她觉得你是需要，而不是爱。"

"她总说这样的话，把她自己和我都给绕进去了。真的，到了这个年纪，真的就不会去剖析一种感情和另一种感情之间的区别，两个人能在一起相处得舒服，已是很难得了。"

"你和我一起出来，她会多想吧。"

"那就让她想吧。其实现在说什么都是白费的，你不觉得吗？现在这样，确实也没有必要再给她什么过多的承诺了。对吧？"

　　他重重吸了一口烟，从脚下捡起一颗小石子，往水里平掷过去，把湖面和月光一起击得粉碎。她心里默默数着，一，二，三，四，五，一个石子居然拍出了五个水花。她也捡起石头往水里打水花，可自己的这颗石子却一下子沉底了。他得意地轻笑着，教她怎样才能打出更多的水花来。好像是一对多年的老朋友见了面，还是很熟悉、心有灵犀地玩起童年曾经玩耍过的游戏。

他的样子好天真。她突然觉得眼前这平静无波的湖水像是马上要有异动一样。就像以前每年都要赶的钱塘江大潮，一霎静静深流，一霎扬起水波，一霎呼啸而来。这面湖水，也好像是快要奔涌起来了似的。

就像她此刻的心。

两个人后来找了家乡间小馆吃了点野味就回去了。各自回房睡觉前，周先生反复叮咛，洗澡时和睡觉前，如果不放心，一定要把门从里面锁好，随后他就独自下楼到自己的卧室去了。那晚他睡得很沉。

他确是个绅士。而他不知道的是，她这一整晚都未曾入睡，也并没有锁卧室的门。

第二天，周先生醒来的时候已是艳阳高照。她在打扫屋子，早餐也做好了放在桌上，还有他每天都要看的报纸。

他坐在阳光下慢慢吃着早餐，感叹着"将来谁娶了你真是幸福，可别像你姐那样傻"。然后，他起身在房间里踱步，翻看着每一本书、每一个摆设。

自从昨晚开始，他就变得很唠叨：

"这个沙发是我前妻挑的，其实我一点儿也不喜欢。很难看，你不觉得吗？她和你姐一样任性。"

"你看那盏灯，还有墙上的挂毯，都是我那年去印度的时候买的。回来的时候遇到雷雨，晃得我都觉得马上要坠毁了，从那次就落下后遗症了，再也不坐飞机。"

"这块桌布，你姐说她也有一块，我说我这个是设计师品牌，她那块是盗版的，她还跟我生气了。"

……

他像个要远行的大孩子，最后一次照看着这所房子里每一件心爱的玩物。她低头拖地，照料着他说的角角落落，以及一草一木。

楼上有间屋子是上了锁的。她问：

"是说所有的别墅的楼上都会有一间房子，藏着主人见不得光的秘密吗？"

"聪明！你想看里面的秘密吗？"

他找出钥匙打开门——这是间放旧物的房间，里面有几个架子和箱子，零散放着一些首饰盒和旧书。这房间应该有阵子没打扫了，到处都积着厚厚的灰尘。他一边翻检一边说着：

"其实这里还是颇有点好东西的。家人那会儿移民，有点东西没带走，也来不及卖掉，就都一股脑儿放在我这了，说让我留着以后慢慢变现。放在这里，时间久了，也就想不起来了。现在这么看着也还挺有意思……"

她拿起一枚躺在首饰盒里的胸针。一弯做成月牙的银饰，镶着碎钻，下面坠着一粒珍珠和细碎的穗子。她情不自禁赞叹：

"好漂亮。"

"你喜欢就送你吧。好像是小时候我妈去日本的时候买的，是个好牌子。买回来又嫌样式太年轻，她戴不了，说只适合年轻女孩戴……"

"不要。你要送就送我这一件吧。"

周先生走过去。她手里拿着的是一块手表。是他小时候的东西，表盘上是米老鼠傻傻地比着剪刀手的样子。

"是你小时候的东西？"

"小时候去美国迪斯尼乐园的时候，我妈给买的。我和我弟一人一块。这表应该有30年了吧，比你都大。我小学的后两年一直都戴着。"

"嗯，给我吧。"

"好呀，可是为什么要这个呢？"

她把胳膊伸出来，露出手肘的内侧，像是有点炫耀：

"看。它们的动作是一样的呢。"

他一看就笑了。早就听说b小姐胳膊上也有刺青，和a小姐身上刺青的位置是一样的。a小姐身体的每一处都是他熟悉的——她手肘内侧有一只小小的红色招财猫。他笑过女朋友的招财猫刺青"太没品"，可没想到眼前这个女孩的刺青更让人哭笑不得：居然是一只比着剪刀手的Hello Kitty。

"Hello Kitty的手不是圆的吗，为什么会比剪刀手？"

她不吭声，只是不好意思地低头浅笑。

两年前，她决定去刺青的那天心情很不好，满脑子只是想刺一个简单可爱的图案在身上不易被发觉的地方。

文身师傅打算下针时，她突然想起来什么似的，说等等，我想把图案换成比剪刀手的，可以吗？事后想想，其实自己也不明白，为什么非要让没有指头的kitty比剪刀手呢？只是隐约在想，如果让它不要呆呆的，而是做出个欢快的动作，会让自己更高兴一些吧——她很少有这种灵光一闪就乱做决定的体验。

见到那块手表的那一瞬间，她心里的一处好像突然被打通了——心里的那一部分藏得深深的角落，那些暗涌的想法，那个有些疯狂的自己，是注定属于一个人的。

自己当初那个看似无意义的想法，既然铭刻在身上，总是要为了以后印证些什么的。一定是这样的。米老鼠和Hello Kitty，让它们在心里合个影吧。

也许是自己对自己的洗脑，世间万事总是无常。他也不会知道，永远都不知道才更好。但至少事后想起的时候，心里还是有一点尝得到的甜蜜存在着的吧。

她对自己这么说着。

收拾完房间，b小姐便做饭。一到下午他就会发烧，吃了药，睡一会儿就会退烧。不知是不是错觉，今天的周先生似乎比昨天又瘦下去一些。接近下午四点的时候，他又说要开车出去逛，附近有野长城，是"那会儿一个人经常去的地方"，她却坚持不去，说山上一定风大，不想两个人都感冒了。

他悻悻回到沙发上坐着打开电视，两个人盘腿坐在沙发上开始闲聊，一直到晚上。他们一起嘲笑了老张，还讲到彼此的初恋，像是有说不完的话，又像真正的家人或是密友。有一瞬间，她在想，如果他没有得病，很多年后和姐姐结了婚，大家成为一家人，自己还能有这样自然地面对他的时刻吗？想起姐姐，心里又多了层阴云，明天回去要怎么跟她说呢？

他斜靠在沙发上，胳膊平直搭在沙发背，懒懒地讲着，眼神里好像是要把自己完全交出去的那种信任。她抬起头，看到他的眼睛，便决定不再多想。

天色渐渐暗了，新闻里在播北京准备奥运的事。他叹了口气：

"也不知道我能不能等到明年奥运会开幕了。本来他们都说想从加拿大特地回来看奥运会的，我还说想让他们这次都住在这间房子里呢。"

手腕上比着剪刀手的米老鼠自顾自地傻笑着。分针秒针早就不走了，它还这么傻呵呵地笑着。

她埋在沙发靠背上，哭出声来。

分道扬镳

　　在照顾周先生的那几个月里，a小姐基本就没有管过自己的生意。动批的摊位卖掉了，手里的大客户也流失了一些，作为生意伙伴的父亲对她也多有怨言——他根本不明白，为什么女儿要去尽全力照料一个都不愿意娶她的男人呢？虽然他给女儿留的东西是很可观的，但立遗嘱毕竟是他死前一个月的事情，在那之前女儿的辛苦，分明就不是冲着图什么回报去的。另一个女儿更傻，明明就没有一点关系，还在大四毕业最忙碌的时候跟着每天往医院跑。眼看着姐妹俩是劲往一处使的，可那个男人一死，两个人居然也就分道扬镳了……他承认自己有点"看不懂"了。

　　按照周先生的遗嘱，a小姐除了两处房子外，还接手了餐厅的一部分股权。曾经求而不得的东西，现在却是唾手可得，但对她来说，心境早已不同——之前多多少少是想满足自己的控制欲，而现在，不过是想让属于爱人的东西延续下去，自己能够亲手照看着，才放得下心。

她清楚自己不想见妹妹的理由——那并不是怨恨。周先生不会对自己撒谎，他说没发生什么，就一定是没发生。她只是隐隐觉得妹妹身上带着一部分自己没有的东西，而这部分东西正是周先生留给她的，是他永远都不想让自己知道的秘密世界。

在医院的时候，她就感觉到了。和妹妹单独相处的时候，她的眼神总是躲避着自己，但以两个人之间拼图一般的默契，她能感到妹妹的某种骄傲，以及某种防御。后来，妹妹的搬走也是摆明了要躲自己，所以，没有足够的理由，还是不要见了吧。

b小姐的好朋友夏夏说，b小姐那段时间"好像真的很奇怪"。

"自从和那个快死了的老男人一起失踪了三天以后，她就有点六亲不认的劲儿了。她之前不是有个男朋友吗？北师大的小帅哥，在咖啡馆打工那个，人可好了！可是，那次她回来之后她就跟小帅哥提分手。后来帅哥就急了，拼命给她打电话，说根本不在乎她那几天到底是去了哪儿，只要她还愿意和他好……她也急了，跟小帅哥嚷嚷，你就当我是水性杨花吧！然后一把就把电话摔了，趴桌上就哭。我在旁边，都不知道怎么说了……"

那她后来就再也没有新的情事？

"一年内反正是没有。那个老男人不是帮她介绍了工作吗？她后来到公司里上班，追她的人就没断过篇儿。不过她是做技术的，也不是非得跟别人有什么交集。后来她们公司好像有个传闻，说她当时莫名其妙没有经过投简历和面试就被招进来入职了，应该是老板的人，她自己又那么冷，追她的人也就慢慢退散了……"

b小姐上班的公司在大望路，租的房子也在那附近，和姐姐的西直门的住处离得很远，几乎是个大对角。两个人最有可能见面的一次机会，是在周先生去世四个月后的奥运会上。

爸爸的生意伙伴给了他四张奥运会的门票，他从中间把连着的票撕开，分别给了姐妹俩一人两张。是鸟巢的田径比赛，当时正常渠道已经买不到这么抢手的票了。

b小姐当时已经在周先生给她介绍的单位工作了两个月。她叫上了一个新结交的同事一起去看比赛。两个女生特意请了一下午假，早早地赶去了现场。鸟巢里人声鼎沸，从北四环到玲珑塔的奥运场区到处都是人，可一直到最精彩的男子两百米决赛开始，旁边的两个座位一直空着。

旁边不明就里的同事一直碎碎念着，这么贵的票，据说黄牛市场都炒到两千块一张了，居然还有人不来看，就这么给浪费掉了，北京的有钱人真是多啊。b小姐笑笑，也不说什么。

每场比赛的间隙，所有人都在东张西望或是互相拍照。而坐定后一动也不动，只看向脚下跑道的，全世界只有b小姐一个。

a小姐是和小宇一起去的。小宇后来一提起那天就满是抱怨：

"那天她事儿特别多，搞得我心情特紧张！从到附近找地儿停车，到找座位，再到后来看比赛，她就一直魂不守舍地到处看。我们拿着票找到座位时，她非不入座，非让领座员先把座位指给她看。果然，她一眼就看到了她妹妹的背影，就直接拉着我走了。"

我问，后来你们看比赛了吗？

"她本来说不看了，回家。我是觉得可惜啊，可能这辈子就这一次看奥运的机会了！然后我就拖着她绕了半个鸟巢，到原本那个座位的正对面，还掏了一百块钱贿赂领座的，才帮我们找了两个空着的座位……你知道吗？那可是博尔特的比赛啊，都打破世界纪录了，跑得跟飞一样！我们身边所有人都站起来，把嗓子都快喊破了，就她，直勾勾看着对面，鸟巢那么大，对面座位上的人都跟小蚂蚁似的，也不知道她都看出什么来了……"

奥运会过后，餐厅的生意慢慢淡下来。张先生更有点悲观似的，总唠叨着"以前是有老周那么个财神爷，现在他人也没了，这儿的财也得散了"。

他想张罗着把餐厅整体转让掉，也找了人，谈了个他觉得不错的价钱。可惜，去跟a小姐商量时，她死活就是不同意。他一劝，她就起急，说如果他不想干了，自己大不了就出钱把他的那部分股份买下来，变成她自己独资。

"那对于我来说是一条退路，但这个餐厅本来就是颓势了，她买的话，又不懂经营，那只能是死路一条。她也是做过生意的人，怎么就不明白在商言商的道理呢？老周没了，我也确实挺伤心的，可是不能眼睁睁就看着这么赔钱啊。没办法，那段时间，我也只好陪着她玩一天是一天了。谁让她跟老周好过呢……"

不管别人怎么说，只有a小姐自己才知道，心里不舍的东西和放不下的感觉究竟是怎样的。

深夜，餐厅打烊以后，她总会一个人在几张餐桌之间徜徉。只留一盏昏黄的灯。这里的插销是他亲手安上去的吧，他做工具活儿的时候，总有种不一样的性感。墙角的那棵绿植，是和他一起去花卉市场买的，他一直都会随手往上浇浇水，可惜现在都已经蔫败了。这扇落地窄窗是他的主意，老张说，当时觉得成本高不想安，但他非要坚持，说意境好——如果早点认识他该多好，餐厅装修的时候还能帮着他说说话。

有时候，她会去周先生城里的旧居里整理一下遗物，细细地给那些靠在墙角的球杆上油或是打蜡。皮头看起来有点旧了，可只有他自己才会换。有时候，她会开着他的老奥迪，从西直门开到德胜门桥，然后一路向北，开到昌平那幢别墅门口去，却呆在门口，迟疑地不敢进去。她把手伸进衣服口袋，那串他交给自己的钥匙好像还有着他的体温。终于，还是决定不进，掉头就走。

只是回忆回忆罢了。只是跟自己玩一个穿越时光的游戏罢了。其实已经不太悲伤了吧。对吗？

让她最终有勇气走进别墅的，是一个来自陌生号码的电话。

一个有些苍老的声音，带着点北京郊区的口音：

"您是周先生的财产继承人吗？"

"是。您是？"

"我是一直帮老周打扫别墅的，住十三陵水库这边，您叫我李师傅就行。"

"有什么事情吗？"

"是这样的，老周走了也一年了，我呢一直有点风湿，今年开始觉得有点干不了活了，就是想问问您，如果您还准备继续打扫的话，我帮您再找个合适的人，要是不用了，就麻烦您过来一趟，我把钥匙交给您，您再查一下房……"

"我知道了。明天就去。"

按约定的时间赶到的时候，李师傅刚把房间最后打扫了一遍。看着眼前这个年轻的漂亮姑娘打量房间的样子，他问：

"您来这儿，不是第一次了吧？"

"是第一次啊。"

李师傅心下有点奇怪。他清楚地记得，周先生一年多前最后一次来这里之前，给自己打了个电话，说马上要来，请自己过去"稍微收拾一下"。他干完活儿之后往小区门口走，刚巧看到周先生的车开了进来。副驾驶上明明坐着一个女孩，很漂亮，他记得特别清楚。而眼前这个女孩，不就是那个吗？

他决定不多嘴。只是把钥匙交给她，又把水电煤气这样的杂事交代了一下。走到门口，他突然想起来：

"还有一件事跟您说一下。我上次来的时候，把沙发罩子洗了一下，在沙发缝里发现了这个。也不知道是什么就放在这里了。"

她认得这件放在门口鞋柜上的粉红色小方块。是妹妹b小姐的录音笔。

录音笔

李师傅走后，a小姐把这栋房子里里外外看了一遍。大多是自己不熟悉的东西。她觉得这里似乎藏着一个她不太认识的周先生。

客厅正中间的沙发是她喜欢的，但他一定会觉得这种美式田园风的样式太浮夸。可是他为什么会买这样的沙发呢？他曾经游历过印度和土耳其，墙上的挂毯和茶几上放着的那盏缀满异域风情的葫芦形状的灯，一定是在那边买的吧，一看就是他亲手挑的。餐桌上的桌布在他餐厅办公室里也有一块一样的，认识他前，自己也买过一块。好像这桌布还曾经成为某一次斗嘴的由头……

看着看着就有点无味。这是他的秘密角落吧，是自己从未走近过的秘密角落。那就还是不要动了，托师傅继续找人来打扫吧。

锁上大门前，她只把录音笔装在包里。

a小姐记得，这个索尼牌子的粉红色录音笔是自己给妹妹买的。她那段时间总在说那学期的课实在是太难了，老师一节课讲的东西太多，手机的内存小，根本不够用。电子产品就应该要买最专业的最好的啊，可她总嫌贵，不舍得买，两个人去商场逛了一圈又回来了。后来还是自己又跑了一趟商场，买了一个最贵的送给她。

　　车里有笔记本电脑。她把车开出去，买了电池，把录音笔插进电脑的usb接口。她的手一直都在抖。

　　她一个一个听下去，期待着出现什么与周先生相关的声音，又害怕有任何信息是自己意料之外的。大部分音频都是妹妹上课时录的音，还有妹妹和朋友们开玩笑和唱歌的声音，还有一个是自己和妹妹去唱KTV的时候，她录的。

　　终于，鼠标停在最后一个文件上。显示时间是2007年9月8日的晚上8点30分——那是周先生和妹妹一起失踪的第二天晚上。

　　她深吸一口气，打开了这个文件。

　　没错，那是他的声音，慌慌张张的，还带点疲倦的笑意，像是刚刚睡醒似的。

　　"这是什么？"

　　接下来是妹妹的，好像比平日里显得俏皮些。

　　"这都不知道？录音笔啊。"

"你要干什么？"

"采访你，行吗？"

"别别，我的声音一录下来就特别难听。"

"我觉得你这个房子装修得好难看啊，比你的餐馆差远了……"

"没办法啊，谁让我是土大款呢。别转移话题，你先把那玩意儿关了吧，我特紧张。"

"那我把它放一边，行了没？"

"关了吧？关了就行，我是一对着镜头和话筒就紧张，真的。"

"好没出息啊！"

周先生嘿嘿笑着，带着点鼻音。她闭上眼都能想象得到他的样子。他此刻的眼睛一定是眯起来的，有点天真，有点痞气，像是要看到别人心里去，却又满不在乎似的。

录音里的两个人接着扯了一会儿有的没的闲篇，内容无非是议论餐馆客人或是昌平附近景点之类。a小姐仔细听着，心里有点宽下来。她想，这果然是自己不认识的那部分的他啊。他好像从未这样唠唠叨叨，语气中甚至显得有点八卦和市侩，倒是显得和自己在一起的那个他有点"端着"了。可到底怎样的他才是真实的呢？

过了会儿，零零碎碎的话题转到了他自己的病。

"……现在也不知道将来的化疗结果会怎么样。不过我这个病，要是暂时能好，估计也就是几年的命。小时候，我爸有个朋友也是得的这个病，从发现到死，也就五个多月。要是我万一挂得早，你也别跟着你姐一块在那哭，她要是一时半会儿过不来劲儿，你可得给她点正面信息……"

"你这算是临终托付吗？"

"你说算就算呗。"

奇怪，两个人的语气怎么都那样轻松，就像是在说别人的事一样。

静默了一会儿，他又突然开口：

"咱俩再交换一个秘密吧。"

"昨天在车上……不都交换了吗？"

"再交换一个吧。"

妹妹明显是沉思了一会儿才回答的：

"嗯，我可能马上要跟我男朋友分手了，算吗？"

"唉，我说得没错吧，你就是善于扮猪吃老虎的那种女孩。不错。感情上，女孩还是要拿得起放得下比较好。你姐这方面可比你差远了……"

"你就别拿我穷开心了。快说你的秘密吧。"

他重重地抽了口烟，又慢慢地吐出去。

"去医院做检查以前，我本来是想要跟你姐求婚的。"

20度的春天，窗外柳絮纷飞。a小姐不太相信似的，凑近电脑，把录音倒回去一点，又听了一遍这句话。她感到自己浑身打了个冷战。

当时妹妹的表情也一定是僵住了吧——她足有半分钟都没有说话。

"你一定不会泄密的，对吧？我下个月准备带她去一次香港，坐飞机去……"

"你不是害怕坐飞机吗？"

"可她不喜欢坐火车啊，每次跟我去那边，她总一路抱怨辛苦，这次旅行既然是为她准备的，就想让她舒服一点。我也就克服一下吧，就当修炼了。"

"准备去香港向她求婚？"

"我朋友在太平山半山上有一个酒吧，一面墙都是落地玻璃，看得到整个中环，夜景特别特别美。我上次带她去，她就跟我这个朋友说，这个地方好适合求婚啊，就好像是整个城市都能做见证一样。我当时觉得她有可能是说给我听的。这次跟老板说好了，准备包场一晚上，给她个惊喜。我小时候也住在香港山上嘛，就感觉这么安排也算是有意义吧……"

妹妹的声音有点发抖：

"其实你也可以晚一点去住院啊。带她去一次吧，她一定会很高兴的。"

"还是不要了吧。我要是只有几个月时间的话，求不求婚，也真的是没什么意义了。而且如果这样，真的对她不好。她那个不撞南墙不回头的个性，你应该比我更了解吧。"

他站起来，脚步一点点走远，又一点点走过来。

"这个，你先帮我收着吧。"

盒子"嘭"的一声被打开的声音。接着是妹妹的一声惊叹：

"这钻石……是真的？好大一颗。"

他的声音还是带着笑意：

"假的！你信吗？"

"要好多钱吧。"

"这个是用来求婚的，算是订婚戒指吧。你不说我是土大款吗？我也没给她买过什么，这个还是能承担得起的。"

"将来的结婚戒指会更大吧。"

"你就别开一个快死的人的玩笑了，好不好？我的意思是，你先替我收着……"

"为什么要我收着？"

"我觉得这个东西要是放在楼上不见光，就太可惜了。本来是给她买的，按照她手指的尺码订的，也退不回去了。我想着早晚还是得交给她。你看着办吧，等将来你们俩好几十岁了，头发白了，成老太太了，子孙满堂了，也不漂亮了的时候，你再拿给她看。"

妹妹的声音又开始有点发抖：

"你还是直接给她吧，这种事情我真的做不来……"

"好姑娘，还是帮人帮到底吧。我总怀疑她之前应该有觉察了，因为我有一点点露馅。找人订这个戒指之前，我量过她的指围，她那时还特别兴奋地问我，是不是要向她求婚，我找了个借口搪塞过去了。不过她应该不记得了。"

又响起他站起来的脚步声。录音在此时断掉了。她又倒回去几分钟听了一遍，没有电量提示声，应该是妹妹趁他起身后，悄悄关掉了录音笔。

车上还有他遗留的味道。是那种烟草、软软的皮子和阳光下棉布交织着的很好闻的味道。她以前有用香水的习惯，后来就不再用了，也从不在车里吃东西。她怕那本来就在一点点消散的味道被其他的气味盖过去了。

他居然说她不记得了。这怎么可能呢?

量指围那天,她正坐在他家沙发上,对着电视玩游戏。他突然坐过来,不由分说把自己的左手拽过去,用一根软铁丝缠住中指,很认真地掐了个记号。

"干吗呢?我这飞机都死两回了!"

"没干吗啊,量一下,看看你是不是胖了?"

她脸上突然堆起笑:

"不会是要偷偷买戒指向我求婚吧?"

他站起来往楼上走:

"你想多了吧!就是老去我那儿吃饭的那个刘太,你知道的吧?她老说自己手指头细,戴戒指都要戴最小号的,我跟她说我女朋友的手指才叫修长呢,那就量一下比比呗!"

好拙劣的借口。她伏在方向盘上,全身都要僵住了。

半个小时后,她拿出手机,拨通了妹妹的电话。

香 港

两个女孩约在周末的游乐场。

去游乐场见面是a小姐在电话里提出的——她俩一早就约定过要抽空去一次游乐场。那时候，a小姐总说自己要学车，而游乐场实在太远了，除非是开车，否则怎么去都不方便。可是后来她遇到周先生之后，就再也不可能把一整天的时间放在两姐妹的约会上了。这次给妹妹打电话之前，她有点犹豫，想起"到游乐场约会"这个主意后，她才有些放心地拨通了电话——说些什么，或是回避些什么，那种似是而非的尴尬，都会在游乐场的喧闹中被冲散吧。

两个人都穿得很素。a小姐在出门前化了妆，想了一想，又卸掉了。

b小姐接过录音笔：

"都听了？"

"嗯。听了。"

于是她拿出那个保存了快两年的黑色丝绒小盒子，塞到姐姐手里。交触的瞬间，两个人都觉得对方的手和自己一样冰冷。

身边熙熙攘攘，人流如织。a小姐看着盒子迟疑着。b小姐帮她把盒子塞到包里：

"这儿人太多，不方便。你回去之后再打开吧，我们先去玩。"

b小姐之前和同学来过两次，她总爱挑激流勇进、过山车和鬼屋来玩。a小姐和周先生也来过，他们俩都只敢坐旋转木马，然后互相笑话胆子小。这次再来，两个女孩却不约而同地选了所有那些最刺激的游戏。

慢慢爬上坡。一颗心提到极点，像脱缰的野马一下奔涌下去。天旋地转，心有余悸。两个人一起用尽全力尖叫。

过山车升到最高处的时候，b小姐转头看姐姐，她紧紧闭着眼睛全部投入的样子真是可爱，她从不掩饰自己的害怕或是绝望，不像自己，总留着点理性的空间。自己除了在梦里，好像从未恐惧过，也从未真正付出过情感，就算体会到一些真正的感情，首先想到的也是要把它们压在心里，不要表现出来。

b小姐不太喜欢这个总是元神出窍的自己——如果自己能有一点像姐姐，那就好了。

无论如何，两个人这次都算玩得尽兴。把所有最刺激的游戏都玩了一遍之后，就到了几乎所有女孩来游乐场时都会有的、疯狂的自拍环节。眼泪似乎已经是上个世纪的事了，全世界最美丽的双胞胎在阳光下笑靥如花。a小姐最爱拍照，自从周先生得病之后，她就没有这么频繁地拍过了。她说要给妹妹单独拍几张照片，b小姐却说不用，你的照片就是我的照片，咱俩不一向都可以以假乱真的吗？

　　被怂恿了几次，b小姐就把右手手肘内侧的文身露出来，又把姐姐的胳膊拉出来：

　　"让kitty和招财猫合个影吧。你来拍。"

　　她又伸出左手腕，凑到两只猫中间。那是一只已经不会走的电子表，表盘上的米老鼠比着剪刀手，和kitty一样傻。

　　一，二，三，咔嚓。

　　周先生的事，就算是翻篇了。毕竟他走了也有一年了。

　　两个人玩到天黑才出去，找了个地方吃晚饭。坐定点餐后，a小姐问：

"其实我有个问题想问你……"

"我知道，你是想问我，那只录音笔是不是我故意留下来的，对吧？"

"嗯。"

"你想多啦。其实那次从昌平回来以后，我也一直在找那只录音笔。里面有很多我要用的录音呢，是因为怕你说我乱丢东西，我才没敢吭气的。"

"没事，这样正好。幸好你忘了，否则我就真的听不到了。"

"对啊，我觉得要一直保守秘密其实也挺累的。真是幸好。"

"其实我觉得你和老周的个性还真是有点像，都是沉得住气憋得住事儿的那种，你看我就不行，现在想想真是傻……"

b小姐打断姐姐：

"你以后打算干什么？一直开餐厅吗？"

"餐厅现在主要还是老张在管。我是想去上点学。想考个自考。"

"好啊，我支持你。"

"你呢？继续在公司上班吗？"

"其实……我打算去香港读研究生。录取通知书已经下来了。觉得之前学的东西还是不太够用，所以……"

"为什么是香港？"

"是我本科的老师推荐的，那所学校和我们学校有合作关系，另外咱们姨夫给我写了推荐信……"

香港。香港。a小姐只觉得妹妹的表情有一点点慌，有一点点作假。她突然带着点挑衅似的，把包里的黑色丝绒盒子拿了出来，拉出那枚3克拉的钻石戒指套在手上，歪头打量着：

"嗯，和我想象中的还真不太一样。还挺闪的。而且我这两年好像是瘦了，都有点松了。要不你戴戴试试看？咱俩手形差不多，戴在你手上可能会更合适呢。"

服务员过来上菜了。b小姐松了口气。开始吃饭前，她把左手外套的袖子往下拽了一下。

b小姐接下来的日子依然看起来简单平静，正如她一直想要的那样。

2009年秋天，24岁的她只身去香港读研。她拿到了一部分奖学金，爸爸和小姨也帮她出了一点钱，加上工作一年的一点积蓄，她在香港的日子过得还不错。外公外婆身体一直没什么大毛病，老家那边一直有小姨在照顾着，也算是暂且没有后顾之忧。

她想，最好的时光不过如此吧——在一个繁华而寂静的角落，一个人静静地生活。而新的日子，似乎是将要来临，但总也不真的来。

她有了一些新的朋友，他们都说粤语或英语，在她身边来来往往。她喜欢这里多过于北京。在北京，大家总是像做好着交心的准备似的，一坐下来就准备挖心挖肺，独行的人反倒显得奇怪，甚至有点可耻。但在这里并没有，除了游客之外的所有人，大家都是一个人，匆匆忙忙地走。如果在一起，就是随便地聊聊天跳跳舞，散场之后也不显得太过冷清。

学校对面就是红磡体育馆。她有闲钱又有时间的时候就会去看一场演唱会，坐在最高的山顶位。一开始，她总听不懂艺人用粤语跟观众开的玩笑，后来慢慢地就懂了，自己也就跟着笑。有时候，她会坐着小轮过海，到天后站的维园转转。有许多菲佣坐在路边，不起眼的二楼有旧书店，随便走进一家甜品和牛腩店就会遇到很好的味道——她喜欢港岛多过九龙。

她总上山去。去过几次就知道什么时候游客不多。从皇后大道东的半自动扶梯坐上去，到兰桂坊，再走一段不近的斜坡直到红棉道，买一张到山顶的缆车票。脚下就是中环。

啊。是谁说的最美的，可以用来求婚的夜景，原来是这个样子的。多么逼仄的街道，让人心堵的拥挤，从山顶看下去，居然可以这么美。

想和她一起去山顶看夜景的人当然有不少。而她不想彻底拒绝的，只有一个人。

那次是姨夫来她的学校做交流，带着她出席了一个宴会。她见了不少人，有学者，有商人，有政客。已是满头白发的姨夫把她介绍给一个看上去还不错的年轻后生，说这是自己在英国教书时，最好同事的一个得意门生。

"都是不错的孩子，你们年轻人一定有得聊。"说完这句，姨夫就抛下她，去和别人讲话了。

两个"年轻人"尴尬地呆立着。他只好先自我介绍。

"我的中文名字叫，李正豪。"

他普通话说得不太好，七七八八的。她一听到就轻笑出来：

"你正好。我……也正好。"

他脸居然红了。

"其实你叫我George就好。"

叫正豪又叫George的同岁男孩就此迷上她。乌黑长发，清丽脱俗的小小脸庞，白色小礼服裙配珍珠项链，说话间带着点少女的俏皮，沉静下来又让人琢磨不透。

很正好。

正　好

　　b小姐也觉得，李正豪同学是个对自己来说"很正好"的选择。起码，应该是。

　　正豪自小住港岛，爸爸是律师，妈妈在政府财政司工作。他从小到大的轨迹和最典型的中产阶级家庭独生子丝毫不差。从小就是优等生，到英国去读大学，学经济，回港以后在湾仔的一家银行找到一份工。他穿西服上班，拎着很方正的公文包，约会的时候也穿熨得极妥帖的衬衫和卡其布裤子。b小姐喜欢他这份干干净净的规矩。

　　刚一回港，家里人就给他买了一辆很适合年轻人开的本田车，可她只见他开过一两回，还是去机场接人的时候。他习惯坐小巴上班。有时候b小姐会觉得正豪实在有点过分的"烂好人"：他遇到乞丐会给钱，在地铁上经常给人让座，路遇发调查问卷的，他每次都会认真填好，双手递给对方。

　　b小姐在正豪面前很放松，总是在笑话他的木讷——其实他在工作的时候明明就是很机敏利落的男生，朋友和上司都很喜欢他，人缘看来很好。可一到b小姐面前，他便总是脸红，还总接不上话。他普通话说得很不好，只在跟她在一起的时候才说，她笑话他的口音，他也就跟着笑，可她的广东话出现错音时，他总是很认真地替她纠正，帮她解围。

他们很快就成了固定见面的恋人。他工作很忙，经常加班，她的绝大部分时间也都泡在研究室里，他们中间隔着一道海湾，一星期只有一天可以见面。他每天下班路上打电话给她，见面那天就带她去自己从小就最喜欢的早茶店喝早茶，然后到油麻地的小书店买点书，再去人少的港边吹吹海风。他以前总觉得所有在香港可能遇到的女孩都拜金，要不就太过强势，大家不是在讨论新一季的包包就是总以浓妆冷脸示人。可她不一样，她总背一个双肩帆布背包，讲话的口音软软的，语笑嫣然。他想，书上说的"吴侬软语"应该就是形容她这种讲话方式的。她和自己一样，都爱做报纸上的数独游戏，唯一令她烦恼的事情似乎就只是实验数据有可能不合乎标准。

正豪喜欢弹吉他，中学的时候和几个好朋友组过一支乐队，路过乐器行的时候会有点眼馋地往里看。如果有空，他就到海边去骑单车，与朋友野营。他只有和同事到兰桂坊聚会的时候才会喝一点点酒。世界上怎么会有这样"正常"的男孩呢？他明明也有不少经历，但真的就是心如明镜不染尘埃，与他在一起的时候，b小姐的心也总是敞亮的。

b小姐和正豪认识了半年就发生了亲密的关系，她也不懂一段正常的恋爱应该以怎样的频率去进展，只知这一切都是出于两情相悦方才水到渠成。起初的接吻，或是头几次一起过夜，她能明显地感觉到他的紧张、悸动、轻微的颤抖和手心的冷汗。她知道他并不是第一次这样，之前他在英国的时候曾经先后交往过两个洋妞女友，所有的一切他都坦白过，照片也都给她看过。可他的动作总是轻轻的，像是怕不小心就把她弄疼或是握碎了。他总在不停问她的感觉，只在快到顶峰的时候抑制不住地自语几句广东话的粗口。

　　可能他是真的爱我吧。与他单独相处时，能看到他眼睛里藏不住的温柔，b小姐总这么想着。

　　正豪带她到离他公司不远的君悦去约会，每一次都在同样的房间。从布满整面墙的落地窗可以俯瞰整个维多利亚港。他知道女朋友喜欢香港的夜色，又不舍得她总是到山上去吹风。当然很贵，一个月去两次，一小半月薪就没有了。b小姐说其实真的不用总那样奢侈，随便找一间几百块钱一晚上的ibis，一样遇得到很好的景致，正豪总是不同意。那是他觉得最宝贵的时刻，他不想在两个人最亲密的相处里有一点点的不快与尴尬，总想要给她最好的，想让他们单独相处的世界总是宽阔而明亮的。

　　做完那些事，她总让正豪去浴室，自己则披上衣服，靠在窗前片刻放空。海面上的空气总是清朗，低云轻绕，对面就是灯火通明的学校和红馆，停在海港城旁巨大的海轮在这里看来也不过就是玩具一般。这片繁华而寂静的海湾真美。这是她第一次不用跟任何人隐藏的恋爱。

男孩轻轻走过来，把为她沏的茶放在旁边，然后从后面环抱住她，亲吻着她还有些汗湿的头发。一瞬间她的心被填实，却又觉得离一些自己也说不清楚的东西越来越远。

她有天晚上做了个梦。

好像看得到十多年后的自己，与正豪。他们在山上有一座带车库的大房子，他开奔驰车子去上班，她在家做主妇。他还是对自己那么温柔，恍恍惚惚中看得到两个小孩的模样。孩子总在身后闹，可她不想去管，总透过玻璃窗看外面。突然间天空开始阴云密布，整个海湾都奔涌起来，玻璃窗变成黑色的幕布。她只觉是海啸来了，赶快去找他的怀抱。很快就找到了，可他的怀抱却并不像她期待中那样温柔，而是把自己越箍越紧，越箍越紧……

她尖叫着醒来。身边的正豪果然正紧紧地抱住她，她下意识地瞬间打开他。恢复了几秒钟，转头看到他有点惊异和委屈的样子，她又不舍地朝他道歉。

正豪环住她，哄她：

"别害怕，天亮了带你去迪斯尼，好吗？"

"不要。"

"你都来香港一年了还没去过，不喜欢米老鼠？"

"不要。"

不要就不要嘛。可是她看过来的眼神为何这般奇怪而锐利？正豪心下有点受伤。

月光照进屋里。就算是如此这般白色的清晖，也确有暗面。他又睡着了，b小姐坐在月光照得到的墙角，把手伸进自己的长发里。他不是总说自己最喜欢的一张专辑叫做《The Dark Side of the Moon》吗？可他为什么总要把月亮探得一清二楚？

.

一开始，正豪并不跟她谈以后的事，b小姐知道，他只是希望两个人能有顺理成章的默契。在她读研究生的第二年，他开始正式地恳请她毕业之后能够留下来。她下意识地找借口：

"我粤语说得又不好，怕是找不到合适的工作，这边竞争太激烈了。"

"你已经讲得很好了，按你的成绩和能力都应该没问题的，还可以让我家人帮帮忙……"

"不要。"

正豪有点生气：

"难道你没有想过我们以后要怎样？"

"想过啊。"

"你真的不用担心，实在不行的话我们就结婚，我养你都可以的。"

咦，想象中的求婚好像不是这个样子的。b小姐把手伸到正豪的额头上，两个指头使劲展了一下：

"不许皱眉头，会显得很老的。"

这女孩好像总藏着浓郁的心事似的。就算总是在轻言浅笑，就算已经完完全全地拥有了她，可不知为什么，还是觉得琢磨不透她的心思。

才下眉头却上心头，正豪想起这句词。

b小姐终于还是去了正豪的家。

他家住西环港大旁边，与父母和奶奶住在一起。房子不算大，装修也不复杂，色调却极暖。没去之前她有点紧张，她总觉得香港人不会从心里完全接受内地人，可一进门她就感到了这家的暖意。一家人都是老香港，她来了，大家都努力说着蹩脚的普通话，这简直是她能想象到的最好又最得体的家庭。他有一个威严的父亲、一个干练的母亲和一个极宠他的慈祥的奶奶。一家人都有着一样的气质：虽然温和宽容做足礼节，却又淡淡地保持着有距离的风度。她开始明白男朋友那种过分正常的气场从何而来。

奶奶送给她一只翡翠镯子做见面礼，她乖巧地试戴了一下，又是正好。正豪有点紧张地坐在一边，生怕她被吓到，可他们都对她很满意，喜欢得不得了。想想也是，自己有学历傍身，出身也算清白，又有一个做大教授的姨夫，也许也算是配得上这么一个极为正常的男孩和家庭吧。

正豪的妈妈试探着与她提到将来的婚姻。当然他们也不太催她，只是说"年轻人有年轻人的想法"，能早早结婚固然好，家里在旺角有房子，他们将来可以过去住，如果不想那么早稳定下来，想立足脚跟发展事业，迟几年都是可以的。

什么都是正好。她再也找不到任何理由去多想什么，或者如果有家人可以给自己提供一些意见就好了。那就这样吧，至少在遇到他之后，心里总算是有了归宿的感觉。她跟自己说，不如就为了他留下来。

从正豪家回去学校的那天晚上，她照例在网上和姐姐说两句。她一上来就告诉姐姐，自己打算留在这里找工作。

姐姐的回应让她并不很舒服。

"如果只是为了一个男人而决定留在一个地方，你一定会后悔。"

她安慰着自己不要介意，因为她知道姐姐这两年间经历了什么。

普 吉

　　小宇总说自己是个"落棋无悔"的人。他做服装生意，在选择合作方这件事上总是很爽利，只要觉得是真朋友，玩得来有义气，他就愿意与人打交道，就算是赔本了也毫不在意。在服装圈混了十年，他总相信风水轮流转，这单赔了那单总会赚回来，不要斤斤计较才赚得到大钱。

　　可即便是他这样的性格，也有后悔甚至扼腕痛惜的事。他说，自己这几年里最后悔的一件事，就是2009年的秋天，没能陪a小姐去成泰国。

　　a小姐的2009年过得不太好。

　　她的自考计划终于以失败告终。并不是没考上，而是上了一个月的课就自己放弃了。她的学业从初中的时候就已经基本扔掉了，要从头开始面对数字和单词，对她来说真的没有一般人那样容易，就算是一直赌着一口气，可终究还是得独自面对自己的挫败感。

周先生的遗物之一，那个有着两面落地窗户的明亮餐厅，也在她手里被转掉了——张先生最终在五月份决定撤股，而她自己根本没有经营一家餐厅的能力。隔行如隔山，老客走了，新客总也不来，每个月的支出算下来有十多万，她实在无力负担。曾经喧闹的餐厅最终只给她留下了周先生亲手选的画，和两盆半死不活的植物，以及一笔不太多的现金。

全是失意。她于是临时起意，决定去泰国普吉岛散散心，尽兴玩上半个月再回来——也该是彻底告别过去，对自己之后的人生从头做点打算的时候了。本来准备跟小宇一起去，可他却突然说被一个临时过来北京的大客户拖住走不开，陪不了她。

约不到其他合适的人，她只好自己去。冒冒险也好。

小宇的悔意始于a小姐从泰国归来以后。她带着一个很漂亮的男孩来见他。

以前，他一直觉得老周的样子带着点落拓和装腔作势，因为有点距离，总让人不太想去主动结交。然而眼前这个男孩，实在是所有人都质疑不了的，不用说话就默默地证明了一切的那种好看。他有一副让所有人羡慕的瘦高身材，非常非常年轻，也不多话，总腼腼地笑。

男孩对a小姐百般照料着，入座之前帮她把座位摆好，替她点喜欢的菜，好像熟知她的一切嗜好，简直不像是和她刚刚认识不到一个月。而a小姐脸上露出的甜蜜神情让小宇觉得又熟悉又陌生。这种表情，自从老周生病以后，都再也没在她脸上出现过了——她一恋爱，就有一种一定要全世界跟着她一起明亮和疯狂的状态。小宇觉得这状态不好，但又不知道怎么说。

她说，这个男孩姓王，"叫他小王就好了"，北京人，摄影师，比她小一岁。她在泰国的第三天晚上，就认识了同样也是一个人去旅行的他。

"我们决定马上就结婚！这两天找个黄道吉日，就去领证！"

小宇大概明白了。他默默地看着菜单不讲话，任这对刚刚认识的情侣在对面各种亲密。

不知道是不是出于嫉妒，小宇在别人面前对这个男孩的评价并不好，甚至比他一开始对周先生的评价还差：

"要是放到以前，不瞒你说，就这种男的，就算排着队来找她，她连看都不带看一眼的！不就一花言巧语小白脸吗？说白了，也就是会钻空子，看着她一个人在泰国寂寞空虚了，没人安慰了，才趁虚而入的……"

可小宇只是小宇。他确是个称职的朋友，但他从未走进a小姐的心，也并不了解她究竟在泰国经历了什么。

和所有要出发去旅行的人一样，a小姐对自己的这趟冒险也是充满期待的。可在飞机降落的那一瞬间，她才开始茫然和无所适从起来。

　　原来，想看到想象中的碧海蓝天，必须得先独自经过冷漠的海关，然后拎着沉重的行李，穿过说着陌生语言的人群，住进一个人的冰冷房间。她之前的每次远行都是被老周安排好的，她甚至不会讲一句很完整的英语。在机场徘徊了很久，她才找到了小宇事先帮她订好的接机车子。和司机沟通不畅，只能任由他开往陌生的方向。她定了定神，只觉得切实的恐惧和自卑，还带着点莫名的悔意——或许真的不该一个人来的。

　　一路坐到酒店，她一口气睡到第二天中午。

　　在泰国的前两天她过得很闷。人生地不熟的，又不会讲英语，就算再好的风光也不过是熬时间。每天也就是在房间里打扮半个小时出门，到海边去找个座位点些饮料，成为别人眼里的神秘风景。

　　怎么面前的所有人都看起来那样开心呢？每个挺着大肚腩的俄罗斯人总会带着个身材火辣的东南亚美女，来自中国的旅行团总在上演着各种合家欢和拍照秀，所有的当地人都在热情地招揽着属于他们的生意，就连在沙滩上觅食的土狗都是成双结对的。所有人都有家人和爱人陪着，好像每个人和他们所处的世界都达到了一种各取所需的关系似的。苍茫天地间，似乎只有自己是孤身一人。曾经得到的，都已如烟花般散尽，别人习以为常的，自己却生来就不曾拥有。a小姐在她的孤独里愈发自怜起来。

到了晚上，总算有事可做：她总不由自主地走到酒吧街去。每间酒吧都有带着点情色意味的表演，她也不知道一个年轻女孩独自过来究竟合适不合适，但总好过一个人在酒店房间里无聊。这里的所有人都在买醉。她找一张高脚桌坐定，总会有人过来主动请她喝一杯。

她说自己有点外貌控的倾向。从那天小王先生一个人走进酒吧坐在她旁边的桌子开始，她就注意到他。当他主动坐过来时，她心里自然是有些骄傲的。两个人刚讲了第一句话，就知道彼此都来自北京——有两天都没痛快说过话了，那熟悉的口音简直让她心生感动。两个人小口喝着酒就聊起来。

有小贩过来兜售玫瑰花，他顺手买了一支送给她。她居然有点想哭。

小王先生是个很容易给人留下完美第一印象的那种男孩。他有种不做作的时髦，头发很硬，带着点自来卷，瘦瘦的，侧脸的轮廓尤其好看。他讲话的样子真是温柔，笑起来嘴边有两个梨涡。他毫不吝啬地赞赏她发光的美丽，半开玩笑似的，本有点矫饰的话从好看的嘴里讲出来，也就显得尤其让人舒服，真真假假的反倒也无所谓了。

a小姐认为情侣之间完美的身高差应该在15厘米左右。她想，眼前这个男孩183cm的个子和自己刚好是适合的。他穿一件绿色的T恤，上面印着东南亚风格的图腾——应该就是这两天在海边的夜市上买的。不管多大岁数的男人，真的很少人能把这么奇怪的绿色穿得那样好看。微风把他的头发吹起来，露出有点汗湿的额角。他的英语说得很好，与酒保讲了几句就互相开起玩笑来，所有的人都喜欢他。

王先生说自己是"拍照片的"，他在北京有一家经营得不太如意的摄影工作室，还有一只大狗，这次也是过来一个人散散心。也不知道他之前到底遇到了什么不开心的事，要他也一个人出来旅行。想来应该也和失恋有关吧，这个年纪的男孩，还能有什么大事。不过他不讲，她也不问。满眼是异国的灯红酒绿，两个人有一搭没一搭地讲起北京的每个角落，心里竟泛起点乡愁。她发现自己在北京常去的地方居然有许多是和他去的地方重合的，住的地方也近，直线距离应该没有超过两公里。

为什么以前居然没有见过他呢？不知不觉，啤酒已经喝到了第三扎。

到了午夜时分，王先生请她去看一场地下的泰拳比赛。被他说得很精彩，"应该是搏命的那种"，她犹豫了一下也就去了——这热带的海风，心里有些甜蜜的微醉，终究还是不舍得就这么轻易浪费了。周围的一切都陌生，只有这个讲着北京话的温柔的男孩，似乎是值得信赖的。

被赞美，被邀请，被拉着说走就走，去赴一场危险的表演，好久都没有这种感觉了吧。她尽力说服着自己。

可惜拳击比赛有点令人失望，因为并不算太刺激。台上的两个人不过是花拳绣腿地比划了一阵，就算是一场表演赛，连受伤都没有，更别提传说中的"搏命"了。都打完了，她还觉得所有的事情好像应该是刚开始似的。他也有点尴尬。走出地下拳击馆，已是接近后半夜了。

王先生说要送她回酒店。她住步行五分钟就能到海滩的千禧——以前与老周出门都是吃好住好，她习惯了。

走到酒店楼下，他有点惊讶似的：

"你住这儿？"

"对啊。怎么呢？"

"没住过这么高级的地方，呵。"

"那就一起上去看看景呗。"

这句话是她两个小时前就想要找机会说的。她当然知道会发生什么，其实也并不算是什么特别疯狂的事吧。她知道，这只是出于自己自然而然的需要。而眼前的这个人，刚好又是自己不讨厌也不抗拒的那种。

　　她之前只真正经历过周先生一个男人。

　　他走后的一年多，她曾反复回味和他在一起的每个细节。那位先生表面上看似轻浮不羁，但不知是不是因为年龄的缘故，他在每个亲密的时刻总有种偶尔令她不耐的沉闷和按部就班。他有自己的一套习惯，仿佛每一个步骤都是应该被安排好了一样，不慌忙也不冒进，并无其他可能。她每次也就听话地跟着他的节奏走。她曾以为所有的男人一定都是如此，那件事不过是件到时间就要做的极无趣的事罢了。

　　然而与王先生的第一个夜晚就让她刷新了见解。这男孩显然是个中高手。一开始，她什么都不想，跟着他的步调尝试各种新鲜，后来不知是从哪个时刻开始，仿佛身体里的另一个自己被调动了起来，她开始灵魂出窍般的主动要求，索取。一直到天亮。这几乎是她第一次感觉到此间的好。

　　她的爱情早已经用完了。而这个男孩，让她喜欢，给她满足。她已经好久都没有这样快乐过了。

118

颤抖和微痛时，她又一次想起她的周先生。奇怪的是，这次的思念却并不苦楚，她只是在想，老周也许并没有那样完美，此前的那一切，只是自己在编织着的一个与事实无关的美梦罢了。她第一次觉得自己之前的付出和得到完全不成正比。人都走了一年多了，自己又是何苦呢？也算是对过往的感情足够尽忠了吧。

她闭上眼睛，开始专心享受自己应该得到的现世美妙。

小王先生

醒来时早已是中午，透过厚厚的窗帘也能感觉到外面的似火娇阳。a小姐转过头，看着身边熟睡的男孩，想起昨晚的种种，心里涌上奇怪的感觉——有点尴尬，有点茫然，有点不适应，有点……脏。

可总得客客气气地送别吧。她把王先生叫醒，一番相对无言。两个人背对着对方穿戴整齐，一起到酒店一楼用了个早午餐。她送他到酒店门口。有两个外国人找他问路，他眯着眼睛，认认真真地研究地图，阳光落在他蓬松凌乱的发间，有微尘在飞舞。

这少年真是潇洒，或许心里还藏着善良，而且那样年轻，真好。

昨晚的灯光始终模糊，都没有看清楚他的样子。突然有点不舍得他走，可能本来与他就不该以那样的方式开始。可那终究是轻薄的露水情，太阳一出来，就该散了吧。

a小姐的这一整天都过得有点恍神。房间里似还留着陌生男人身上的荷尔蒙气味，她觉得有点恶心，想去前台换个房间，可又不知道该怎么说。她想起楼层服务员看到她和王先生一起离开时那种若有似无的暧昧眼神，还是决定算了。穿了红色的裙子去街市上逛，没头没脑地买了两个包，走得很远了方才发现墨镜没带，又去买了副新的。还是觉得哪里不对，扳不回来。

　　夜色降临时，她决定去给自己安排些不一样的节目。往最热闹的地方走，到海滩附近的人妖秀场——来都来了那就去看看新鲜吧。她去买票，想要个好点的座位，比划了一阵却还是说不清楚。在后面排队的人有点骚动，终于挤过来一个人帮她解了围。

　　又是王先生。这个岛上的游客可以去的地方终究还是太少了，居然又遇见他。

　　她的宿醉好像还没醒，带着点昏懵似的。想来对方也是。台上自是一片花枝招展搔首弄姿，两个人谁也没看进去，都坐得笔直，动也不太动，像是在欣赏一出严肃至极的交响乐。

　　结束的时候还不算太晚。他们又一起往酒店走，默默无语。到了门口他却带着点故意的自觉，转头离去。

a小姐突然觉得有些好笑，觉得他的天真和傻气好像有些似曾相识，可能他是太年轻了，还不懂得隐藏。于是开口叫住了他：

　　"其实你也不用故作正人君子了。反正也都这样了，那就留个电话吧，我也不会说英语，有什么情况还可以给你打个电话。"

　　他终于松了口气，可神色里还带着点慌张：

　　"你明天没什么特别的安排吧？我明天想去离岛浮潜，一起去吗？"

　　那个小小离岛的风景据说是这附近的海域最美的，浮潜环境也好，去的话就得报一日游的团，坐40分钟的快艇。a小姐自小有点晕船，但她没说，只是早上出门和他见面前，自己在酒店把随身带着的晕船药吃了。

　　快艇的行程比想象中颠簸得多，那天的海风又有些大，就算吃了药，还是状态不对。没有乘船经验的两个人坐在船头，尤其晃得厉害。她心下有些无助，不停地看表，每一秒钟都漫长无比。一个大浪打来，整艘船狠狠地晃了一下。像是想都没想，王先生一把揽住她，另一只手随即紧紧握住她手腕。

　　"你没事吧？"

　　她不回答。只是闭上眼睛，靠上身边男孩的肩膀。

　　很久以前的某一个夏夜，与那位先生在街上走。遇到急雷雨，没带伞，两个人于是一起在屋檐下躲雨。骤的一声炸雷打来，天空在一瞬间变白。心里还来不及害怕，就被他一下子抱住了。感觉整个人被巨大的安全感包裹住了，世界变得安宁起来，时间和方向都好像不存在了。那是毫无保留的保护吧，但他从不说。

　　穿越时间这件事，原来是会在人的心里发生的。尽管还是一样的颠簸，可时间好像变得没有那样难熬。

　　快靠岸的时候她终于吐出来，全身都有点虚脱。为了安全起见，导游不许她去潜水。她找了张沙滩椅，恨恨地躺下。

　　王先生有点不放心地一直跟在后面，也搬了张椅子在她旁边坐着。她睡了一小会儿才发现身旁有这个人：

　　"怎么不去玩呢？"

　　他的微笑里带着点关切：

　　"我在想，你为什么会一个人来这儿？"

　　"怎么我就不能一个人来了？"

　　"像你这么不会照顾自己，又那么容易上当受骗的女孩，就是不应该一个人来啊。"

　　她有点没好气：

　　"反正都已经被骗了，也就这样了，无所谓了。"

　　她拿浴巾蒙着头，假装睡去。熬到自己都熬不住了，太阳透过遮阳伞的边缘照到腿上，她起身，他居然还在，看着她笑。

他们又聊起来。内容和前一晚有些不同。

小王先生也算是个失意人。

他有一个常年卧病在床的母亲，从他上高中开始就是这样，行动一直不能自理，一直要靠他和父亲照顾。他大学读的是北京东边的那所外语学院，学法语。上学的时候一直想折腾着创业，和朋友一起开了间摄影工作室，并没有太大成就却耽误了学业。

他去年刚大学毕业，工作不想找，也不好找。半年前，母亲骤然离世，相处了五年的女朋友也和他分了手，跟一个老外走了。分手前，她埋怨着他的事业没有起色，和他在一起看不到未来。直到现在，工作室还在半死不活地做，偶尔去给朋友的剧组打打杂，算是个赚钱的兼职。而这次来泰国也是想散散心，然后回去就"重新开始，找份正经工作"。

他说起之前的那个女朋友。

"她一直都在外企上班，当时也是一心想出国。她比我大五岁……我当时挺幼稚的，可以说一些人生观就是从她那里塑造的，一旦分了手，还真是有点找不到方向……"

这个男孩越认真就越可爱。a小姐总觉得他的这个样子有一点好笑：

"你的什么都是她教的……包括你的技术？"

他有点不好意思地点头：

"……见笑了。"

一起去岛上的餐厅吃了点东西，她也慢慢开始讲自己的事。她不太擅长倾诉，讲话总是有点没条理，可她经过的事情实在太多，一旦拎起来讲就总也停不下来。从自己带着原罪的出生，到童年时在家庭里的被忽略，再到深爱的男人的死，以及这两年里深深的挫败感，什么都讲了。说着说着她就哭，一哭起来像止不住的水龙头，在一年多前的葬礼上她都没有哭得这么惨。

没过多久，导游过来找他们，该回去了。他轻抚着她的肩头，也不多说什么，只觉得眼前这个经历太多的女孩，和自己这两天想象中的那个神秘女郎是完全不同的两个人。

不知不觉间，太阳已转到海湾西侧的山上面。碧蓝的海上开始出现红色的霞光。同是天涯沦落人，说的也许就是眼前这个样子吧。

回去的快艇上她装着些心事，王先生一直紧紧地搂住她，像是怕她会随时消失一样。同团的人都以为他们本就是一对共游的年轻情侣。依然颠簸，海浪甚至比来的时候还大了些，可她居然不太晕船了。

到了酒店就是两个人的第三次离别了。像是下命令似的，她说："你搬过来吧。我们再说说话。"

落 地

　　王先生和a小姐接下来的一个星期过得真像是在度蜜月。

　　上午过半，相拥着的两个人才被阳光叫醒。有时候a小姐醒得晚，发现小王已不在房间，她就站在阳台向下看，酒店碧蓝的游泳池里那个修长的身影正是他。她就那么带着笑意看着他来来回回地游，直到被他发现，上岸来擦擦身子，冲着她不好意思地挥挥手。

　　等他上楼来，再耳鬓厮磨一阵，饿到不行了才去用午餐。街角有家很好味的海鲜店，一只半个手臂那么大的龙虾也不过百余人民币，或是随便点一份炒面也是至美的风味。去过几次，王先生就和老板熟识了，老板一见面就叫他们"beautiful ones"，她问什么意思，他只说老板和自己一样也被她迷住，叫她美人儿。她也就不分真假地开怀起来。

　　a小姐原本的行程是要去曼谷，而王先生要去吉隆坡。两个人商量了一阵，说什么也不舍得离开这个有着梦幻阳光的岛，和这间定情的酒店。遂决定各自退掉机票，又买了几天后一起直接回北京的。可这个岛看似大，说起来也没什么特别的好玩，大象骑过，潜水玩过，滑翔伞飞过，瀑布看过，时间便一再陷入停滞，被他绵密的情话填满。像是出于自尊，每次要花钱的地方他都一定抢着付账，说了几次，她也不再与他争这个。

临行前一天王先生向她求婚，在落日的海滩上。天边的火烧云犹在燃着，海天一色，伴着几艘归帆。两个人静静走了一会儿，他突然单膝下跪，掏出一枚泰国银戒指，不由分说地套在她的左手中指上。戒指不贵，一看就只是一两百块的货色，却好像比那枚度身定制的更合适。看着眼前男孩热切又漂亮的眼睛，被套上戒指的手指有点麻木，一颗心却被不容拒绝的浪漫点燃。

换了一个人，也迟来了些。可终究有人愿意对自己许一个承诺，或许以后就可以真的不再孤单。与他一起回酒店的路上，a小姐这么想着，于是她又退了一次机票，重新买了第二天到香港的。她想带着王先生去见一下妹妹，顺便在香港再玩两天。

b小姐那时刚刚与正豪在一起。两个人一起开车去机场接他们。

刚一见面，姐姐就奔过来挽住她，迫不及待地诉说着在她看来是奇迹般的相遇。那位远远地看起来不错的男朋友在后面跟着，拖住两个巨大的行李箱。

之前的电话里，b小姐已经感受到姐姐急切地要分享的甜蜜，心里原本是对姐姐的这位新男友充满期待的。可当小王越走越近，她却隐隐有点失望：这个男生是有过人的外表，那份扑面而来的少年气质尤其动人，对a小姐的好也是无可指摘的，但不知为什么，总觉得他的好只是他自己的而已，配姐姐却显得有点单薄不足了——可能是自己多想了吧。

正豪是个周到的人，待人接物的礼数尤其擅长。酒店订好，接风的晚餐安排好，行李托付好，每一道菜的口味都要问清楚，在港期间怎么玩也都交代好。可姐姐的男朋友却带着点生涩与紧张，不太上得了台面一样，凡事没太多主意，只听姐姐的。然而姐姐好像完全视而不见他表现出的弱势，她眼里只有一天一地的甜蜜，不时撩动着一头长长的卷发，抓住一切时机与他依偎在一起。

姐姐曾经是多么骄傲的一个人啊。像这样年轻的男孩，就算长得再好看，她看都不会多看一眼，就算与周先生恋爱时，她也从来都是直来直往从不辩解的。可现在她真的有些不一样，好像总是不太自信，着急地要把这个男孩的所有好处告诉她似的。

b小姐冷眼看着。其实一个人如果是真的好，又何必由他人去拼命地讲出来呢？姐姐当然还是出众的，可她原先的那种慑人的风情，究竟去了哪里呢？

四人相处时自是一番客气。吃完饭，帮他们安排好，正豪送b小姐回学校。过海隧时她问，觉得姐姐的这个男朋友怎么样？正豪笑说不用问，当然是靓仔啊，比我顺眼许多吧。

她也就顺着讲下去：

"当然！姐姐的眼光一直都是很好的。"

他含笑转头看她一眼，然后继续默默开车。出了隧道便是红馆，夜幕中发散出白色的冷光。

a小姐和王先生从香港回北京的路途不太顺。订的是下午的机票，到了机场却开始下暴雨。午夜时分终于起飞，两个小时后又被告知目的地雾霾很大，无法降落，又绕到太原经停。到北京已是第二天凌晨时分了。

飞机缓缓下降时她醒了，看着旁边把椅背放倒熟睡的男孩，a小姐突然有点重回现实的恍惚：自己的这些天，到底是做了一个怎样的梦？如何就与这位刚认识的男孩定了终身？

下了飞机就该各回各家了。两个人在打车处排队，空气很污浊，天色将亮不亮的，那个阳光灿烂的梦境好像一下子就醒了过来。两人随着人群移动，一番无语。

王先生先开口：

"有点饿了，你呢？"

“也是。”

“北新桥的卤煮这会儿应该还开着，要不先去吃点儿？”

　　乘着出租车穿过一团迷雾，她才看得到王先生的真实状态，他就像是一个在窗外偶尔经过的男孩。他揉着惺忪的双眼，像影子一样在这家不太干净的小馆子里穿梭，发尾不听话地翘起，有点好笑。他和自己一样，吃卤煮一定要配北冰洋汽水，还要多加一份大肠——她从小就爱这么吃，最早的时候还总带着点资深食客的炫耀。可以前的那位先生总是鄙薄这种太平民的爱好，她也觉得似乎是不太体面，所以好久都没来吃了。

　　气温比走的时候骤降了许多，两个人都裹得严严实实的，可还是有点冷。一出店门，他依然像是习惯似的紧紧搂住自己。

　　嗯，和这样的一个人一起度过以后的日常，也许真的是件不错的事。至少值得一试。

　　像是从空中落了地，心里有种极浅表的安全感。再多适应一下吧，或许很快就真的是一辈子了。

　　都说萍水相逢的感情一旦回到现实中便不太容易继续，可他们接下来的日子却把胜却人间无数的相逢延续了下来。王先生随便帮a小姐拍了些照片传到网上，却意外给他的工作室带来了许多生意。到了年底，几乎有点忙不过来了，两个月之内他又雇了两个人，她开始帮着采购服装和扩大店面。除了那次和小宇见面，两个人谁都没再提结婚的事，都觉得的确是有些快了，况且手头一直有事在忙，谁也不想打破不错的现状，想要磨合一阵再说。

她去见了王先生年迈的父亲，也带着他去见了自己家人。很意外地，家里人对他居然非常满意。他是个很容易讨长辈喜欢的人，加上大家都是北京人，总有很多话题可聊，有谁会不喜欢一个又漂亮又积极的年轻男孩呢？所有的家人都觉得眼前的这个小王比那个装腔作势的先生要好太多，就连一向与她不睦的小妹欣欣都愿意和他多说几句。

一切也是看来正好。直到有天她发现自己怀孕了。

那是2010年的3月，那年她25岁。

背　叛

　　东窗事发的时候是个初夏的下午。这事在不相干的人看来着实有点狗血。

　　我知道你不想听那些糟心的事。说实话，我也不太想讲。

　　从泰国回来后，a小姐一直在帮小王做事。有人劝她应该捡起自己的生意，她不太爱听，只蔫蔫地说没兴趣，自己手里也有两套房子在出租，每个月到手的钱总是不愁自己吃穿的。她总说人生苦短，不如抓紧时间和喜欢的人腻在一起。又有人说她有帮夫运，她便高兴起来，说自己就喜欢听这种话。

　　她的生理周期一向不太准时，那段时间她围着王先生的工作室忙到昏天黑地，等注意到自己怀孕时已经有两个多月了。她曾经对要不要留下孩子这件事犹豫过一下，小王也并不是特别热络似的——他才刚刚24岁，如果说有事业的话，也才起步而已。这样的一个男孩，要他当父亲，也实在是有点太早了。

可长辈们都劝他们结婚，赶快把孩子生下来，然后再踏实创业不迟。a小姐奶奶的身体不好，一直住院，总唠叨着想在有生之年看到四世同堂，小王的父亲也是着急抱孙子。一番犹豫中，时间又悄悄溜走了两个月，再去医院检查的时候，就被告知已经没法走回头路了。

尽管没时间去筹备婚礼，可迎接新生命终究是件好事。a小姐和小王匆忙去民政局领了证。小王从自己独居的旧房子搬到了她在西直门的家。一切都很快，只是把房子重新粉刷了一遍，没什么新婚的样子，也并没有大规模地置办什么东西。小王自己总说对她有亏欠，可她总说不在乎，觉得自己和他有过海岛的几天蜜月期也就知足了。他原本养着只金毛，她怀孕不能碰动物，就一直养在了工作室里。

尽管有的人不看好，可b小姐对姐姐的这个决定无比赞成——当时她和正豪正在热恋期，只觉得早早地做小姨这件事好玩极了。姐姐和小王都是这么好看的人，宝贝一定也是极漂亮的。都迫不及待想赶快看到宝贝的样子了。

有天她问正豪，如果自己不小心怀孕了会怎样？她总这样试探他，带着点女生的小心思。正豪的回答一向都是中规中矩，很实际，可也没有太大惊喜：

"我当然是尊重你的意见了。你要是想马上当妈咪，我们就把孩子生下来啊，不行的话你就去申请延期毕业好了。你要是不想要，我们以后还有机会……"

　　并没有人专门照顾孕妇a小姐。小王一天到晚都在外面辛苦做事，一回家就躺在床上喊累，要睡觉。工作室里有狗，又远，她总不太乐意去，她觉得他把自己折腾得那么辛苦，一定是想要多赚钱，将来好做一个称职的父亲。这是好事。小妹欣欣现在是高三的关键时期，一家人都在围着她转，家里人能给a小姐的关心也是有限。好在肚子里的应该是个挺乖的宝贝，从不会给她找太多的麻烦，总一个人缩着，乖乖地睡觉。大夫说她年轻，身体又好，一切反应都没有想象中强烈，总算能忍得住。

　　本来不太擅长家务的a小姐学会了做饭，把自己照料得很好，到了该去医院检查的时候就一个人开车去，做好万全的准备，迎接美好新生命的到来。

　　孕期里，她有了许多和宝贝单独相处的时间，一个人在家的时候就对着肚子里的宝贝说说话，或是放些音乐慢慢地听。有时候她会带着点伤感地想起自己生命的前25年，好的事情好像并不多。好在炼狱总算是有止境，突如其来的爱情和这个宝贝，全都真正归自己所有——那简直是太好了。再也不用一个人辛苦谋生，不管发生什么，总是有人陪着的，再也不用与伤痛作伴。

五月天气渐热的时候，宝贝开始淘气起来。一开始，她总感觉有条鼓鼓的小鱼在肚子里游来游去，后来总是被一阵轻微的叩击惊醒，她只觉得奇妙和好玩，就喊小王来听，他总不太情愿似的凑过来，宝贝忽地动一下，他就害怕得从沙发上弹起来。

不久的以后，自己身边又会有另一个可爱的孩子了。不知马上要到来的这个孩子会和眼前这个漂亮的大孩子相处得怎样？她有些担心又有许多期待。

一切对未来的幻想在六月初的下午骤然终止。

那天很闷热，憋着一场雨，像是准备了很久也没下出来。a小姐在家待着，只觉烦闷得厉害，怏怏的，必须出去走走，却又不知该去哪儿。她突发奇想地决定到小王的旧居帮他拿些夏天穿的衣服回来——他前一天还在说，衣柜里都是她的衣服，自己拿过来的夏天衣服都不太够穿了。

拿钥匙开门的时候，她才发现房门没有锁死，原来有人在家。

一进卧室她就觉得不对劲，小王故作镇定的表情出卖了他。她知道的，他是个当面撒不了谎的人。凭着女人的直觉她开始在房子里到处找，终于在阳台的夹缝里发现了让他神色慌张的那个人。

居然是小妹欣欣。

令她伤心的是小王的不解释。他只坐在床边，点上一支烟默默抽起来。像是怀着一点希望，她问小妹，为什么会出现在这里，不是过几天就要高考了吗。

欣欣倒仿佛得胜了似的，带着她一向的挑衅，说你不要问我啊，自己问你老公去。

仿佛她自己才是局外人一样。这是现实生活啊，总不会比电视剧还不堪吧，她这么想着竟笑出声来。刚想张嘴说点什么，欣欣却不依不饶：

"我就不明白了，既然b姐可以碰你的男人，为什么我就不可以……"

这场景很眼熟。就像是几年前那位先生失踪的那天。一个耳光打过去，她自己却再一次瘫倒在地上。

窗外的大雨开始不停地下。

尽管已过了很久，小宇说起后来的事情依然痛心不已。

"我早就说她傻嘛。我本来说找几个哥们把那混蛋揍一顿，她非不让，说什么毕竟这是她孩子的父亲，发生这样的事情也有她自己的责任，而且孩子生下来他还得出力，说我们这几个人下手都没轻重，别给打坏了。你们女人是不是很奇怪？都这样了还护着他……"

自己家里发生了这种事，她家人没有介入吗？

"您就别提了！她家里人的反应是整件事情里最让她心凉的。她爷爷的第一个反应就是护着她那个小妹，说过几天就要高考了，说什么也不能让学校知道。那个欣欣也倒是硬脾气，说自己对姐夫是真爱，自己是自愿的，根本没有谁欠谁的。她继母因为这个事都跟她跪下了，保证说会让小妹到外地去上大学，但一定得让她平稳度过这几天……好嘛，本来是她受害的事情，结果到头来她却不知道找谁说理去了！"

那后来呢？离婚了？

"她压根就没敢提离婚的事儿。要么我总说她是个纸老虎呢。可能也是为了孩子吧。那混蛋后来也是跟她那一顿哭，说什么没准备好就来了个孩子压力大啊，她太漂亮太出风头他觉得镇不住啊，来了个一般的普通的小姑娘投怀送抱就受不了啊，要我看，全是混蛋话！反正我觉得她这么委曲求全终究也不是个事儿，但她就是这么认死理儿，谁也没办法。后来两人就暂时分居了，小妹被发到兰州上大学去了，生孩子前前后后都是继母照顾的，那倒是个老实人，可能也是想着给女儿赎罪什么的吧……"

a小姐后来生了个男孩。

整个夏天她都努力照料着自己的心情，告诉自己说也不是一个没经历过事儿的人，既然不想见的人都不在眼前了，无论如何也得先把孩子生下来，以后的事就再说。她生产的过程并不算顺利，阵痛足有两天两夜，小王就待在产房门口，她就算再忍不了也不要见他，宁愿让不怎么相干的继母陪着。

最终还是决定剖腹。意识混乱时她突然看到母亲的样子，那张与自己几乎一样的脸头一次从黑白照片里浮起来，远远地冲着她笑。她想，不会就这么跟母亲一起去了吧，这样也好，到了那边，一定要把自己这些年的事情告诉她，问问她为什么要那么早地离去，再问问她为什么从没有像别的母亲一样，会陪女儿度过所有的欢乐和痛苦。

想到这里的时候，反而是有一点解脱了。

看到孩子第一眼时，一切感觉就又不太一样。别的产妇都有一大家子人在伺候着，她只有一个继母，以及用自己的钱请来的月嫂。怀里的那个孩子皱皱巴巴的也看不出来什么样子，可在他哭喊的时候，她突然觉得自己在被无条件地信任和需要着。慌忙把他抱到怀里，任他用力吮吸着自己，很疼，但好像又隐约有些从未体会过的成就感。

原来，从来都是多余的自己，也是可以给一个生命提供养分的。这宝贝终于来了。他只属于自己，永远不会是别人的。

她突然想起来什么似的，问身旁的继母今天是几号。噢，10月15日，不意外。

那是周先生的生日。

再也不去找什么无妄的爱。带着这孩子和关于他的回忆，就这么过下去吧。所有的承诺都是假的，只有新生的和逝去的，才配称得上是永远。

玩 笑

b小姐自认是个悲观主义的人。她觉得命运仿佛总是在开她们姐妹俩的玩笑。

本以为姐姐的情路已够坎坷，可是后来发生在她自己身上的事，总让她觉得这个漫长的玩笑开得似乎有点太过分。她想起很久以前的那位先生在湖边说的话。

"我这辈子没做过什么大事，小的荒唐事倒实在不少。有时候荒唐到我自己都觉得奇怪，为什么当一件事情我做好了准备，它却总也不来，来的事情却总是我从不曾料到的？"

三年有余了。她闭上眼睛，又一次看到他的样子。他穿着一件淡色的衬衫，最上面的两只扣子是解开着的，左手插在裤袋里，微驼着背，任月光笼住自己侧脸的弧线。说完那段对话，过了很久，他才重重地抽了一口手里捏着的烟。微蓝色的雾气缓缓上升，弥散，与安静的月色和氤氲的水气化在一起。

她睁开眼，挽起毛衣袖子，又看了一眼胳膊上刺着的剪刀手
kitty。

你好。你的伙伴他还好吗？

对于发生在姐姐身上的那件事，b小姐总觉心痛，也有些后
悔。

心痛的感觉自不必说。后悔大概是因为自己整个过程都在捧小
王的场，从来就没有想过让这样一个太年轻的男孩那么早地走入婚
姻，会给姐姐带来怎样的风险——如果自己能够早点拉住姐姐，让
她不要冲动，或许事情不会来得那样快。

此外，她心里还有点不知道跟谁去说的介意——六月份，小王
和欣欣的事被姐姐发现之后，姐姐根本就没有主动告诉过她，家里
人也对她刻意隐瞒了这件事。直到她发现姐姐有好几天都没有上线
和她聊天，才开始心生疑窦，发短信过去也没有回复。打电话到北
京的家里，爷爷支支吾吾地只说没事。

后来还是她的好朋友夏夏告诉了她。夏夏只说，这件事她理应
知道。她后来问夏夏，你又是怎么知道这件事的呢？夏夏神神秘秘
说以后再告诉你。

夏夏这个女孩总是说半截话。她已经习惯了。可姐姐为什么没有跟自己说她的事呢？自从她们一年前在游乐场的那次见面以后，她任何小事都会第一个告诉自己的。

有些奇怪，心下又好像知道了答案似的，只是不愿承认。她让正豪帮着分析。

"我们上次见他们，不是还在秀恩爱吗？现在突然就出了事，你姐姐可能会觉得在你面前很失败，所以不想说？你家里人不说，可能是为了要保护欣欣？你从小也没有跟着他们一起长大，所谓家丑不可外扬，这种事还是越少人知道越好？嗯，我猜是这样的。"

不错。可也不完全是。正豪并不了解所有的事，而且他是独生子，永远都不会完全了解自己和姐姐之间的那种微妙。一阵头疼随之袭来。不想了。那么既然姐姐不说，自己也就别轻易张嘴问了吧。否则她会更不舒服。她打定主意，决定装作不知道。

过了几天，姐姐又会在每个晚上固定的时间上网，好像什么事都没发生过似的，只跟她讲一些肚子里宝贝的事，以及其他的琐碎。怎么都不提伤她的那个男人了。b小姐就听着，也讲自己的一些琐事，也不多问什么。所有的猜度，都交给两个人心里的灵犀去解决吧。

11月，b小姐得空飞回北京看姐姐和她的宝贝。行李箱里装满了奶粉，还有正豪送的一件纯金的长命锁。

这孩子真是漂亮，简直没有浪费一点点他父母优秀的外貌基因——虽然瘦小，但是很健康，眼睛大大的，额头饱满，头发和眉毛都长得很浓密，皮肤白皙得就像个混血儿一样。看着这个惹人疼的外甥，她忍不住感叹：

"他长大以后不知道有多妖孽，该让多少女孩心碎啊！"

姐姐骄傲地笑着，轻吻着她怀里软软的宝贝。小王在旁边守着，哄睡觉冲奶粉都是由他来做——想必是她一个人实在照顾不了孩子，家里还是必须得有个男人，于是他又回来了。他有没有改错或是悔过，似乎都已经不重要了，她只知道姐姐的这个样子是真美。做妈妈，被宝贝需要着，真是件天下最幸福不过的事。她也想早些有个自己的宝贝了。

宝贝满月了。名字是爷爷给起的，叫"天瑞"，b小姐不喜欢，觉得这名字太大，又太空泛，不可爱。姐姐却喊他"小蚊子"，或者"文文"：

"你看他小小的一只，那么白，哭起来总是嗡嗡嗡，真像一只小蚊子在哼哼，对吧？"

嗯，很合适。她也跟着叫宝贝小蚊子。

再回香港，b小姐就开始忙着做毕业设计了。工作也要慢慢地开始找，这真让她担忧。原来上班的那家北京公司岗位上一直在缺人，老板开了比以前高不少的工资要她回去，但她一直拖着，也没答应。正豪跳槽了，上班的地方从湾仔变到中环，薪水涨了，人也更劳累。他周末不再有很多时间可以陪她，她也得经常待在研究室里，本就不多的约会就变得更不规律了。

两个人没办法过海见面的时光，她总偷闲和同学去尖沙咀最热闹的地方走走，吹吹晚风。此岸人流如织，对岸一片璀璨，那几座最显眼的大楼的其中一栋，就是他上班的地方。那些光点中某一个窗口里，就有他正在辛苦做事的身影。看着看着，眼睛就被灯光闪花了，心里的甜蜜却一点点涌上来——在这样的时刻，他也一定正在往这边看着，找着自己的影子吧。

这城市陌生又熟悉。夜景有多美，灯火下就有多少辛苦打拼的人。她想，自己以后的日子一定不会像在北京那么逍遥。可这里毕竟是有自己最信任的，曾发誓要保护自己一辈子的那个人。与正豪相爱已有一年了，心里的那种隔膜感已渐渐不见，或许自己真的是个所谓慢热的人，而这个明亮的男孩给自己带来的信任，已足够抵挡一切。

她已打定主意留在这里，也是真的想与他成个家了。这几乎是她从小到大对自己做的最认真的一个决定。

可这漫长的玩笑终结于冬天的一个周日下午。那天他们终于有时间约会。

正豪先是去学校接上她，然后把车停在公司附近，让她在车里等一下，自己还得到公司处理些事情，过一会儿就回来——他总是这样忙碌。她等着，突然接到导师的电话，说是她随身带着的U盘里有要急用的一个文件，让她立刻发过来。当时她没带电脑在身上，只能用正豪留在车里的笔记本电脑发邮件。

她以前从没动过男友的电脑，因为知道里面都是他工作要用的东西，确实没什么有趣的东西。邮件发完，正豪还没回来，她只好百无聊赖地随便在他电脑里翻翻看看。他真是个严谨有序的人啊，各种要用的东西都被他分门别类，理得很整齐，很容易就找得到。正准备合上电脑的时候她突然看到一个加密的文件夹，也没多想，随手试了他常用的那几个密码。

试到最后一个的时候文件夹被打开了。里面有一些她从未见过的奇怪照片。许多人，不同的男女，有洋人，也有黄皮肤。不穿衣服，或是穿着奇怪的衣服。各种古怪的器具和姿势，有人被蒙住眼睛，有人在被虐待却做出享受的样子。一开始她只觉有点愕然，几分钟后她就明白了，可能每个男生电脑里都会有"那种"图片或视频？可能这也没什么？她在想，等正豪一会儿回来，是装不知道，还是笑一下他的重口味？

直到她在这些人里发现她最熟悉不过的那张脸。那张很端正，很严谨，有时候又木讷到可爱的脸。可在照片里，这张脸却是另一个样子。

手不由自主地发抖起来，小小的U盘掉在车里。

合上电脑前她看了一下图片的创建日期。最早的在2006年，最晚的在2010年11月。从他在英国读书的时候，到最近，她回北京的那几天。

李正豪

李正豪知道，自己的那个秘密是一定会被女朋友发现的。只是时间早晚的问题罢了。他曾许多次在心里想象着被她揭穿的那一幕，就像是伪装了很久的面具被她亲手撕下，如果那样的时刻真的到来，要怎么解释才好呢？

可从没想到居然会来得那样快，也没想到，她居然没有给自己留任何解释的余地，一声不响地一走了之。

而另外一件他完全可以确定的事情是，他爱b小姐。是爱到无以复加，可以拿命去换的那种。从第一次见到她开始，他就知道，自己一辈子也躲不开对这女孩的牵绊。

少年时的李正豪爱看侦探和武侠小说。他对爱情最初的幻想来自于金庸笔下的人物。他最早看的是《射雕》，觉得黄蓉真是可爱，冰雪聪明，无条件地与爱人患难与共。后来又看《神雕侠侣》，又觉得蓉儿婚后变了太多，太聪明的女人心里就会多些讨人厌的算计。最终他在《天龙八部》里确定了自己喜欢的类型，是王语嫣。

语嫣也是聪慧的女孩，但和黄蓉不同。她只钻研武林绝学却不真正练武，于世事更是全无心机。一起看书的同学说语嫣天性凉薄，并不专情，但在他眼里，那种清冷的美和自持的爱让她更多了些神秘。他曾想，如果以后自己会爱上一个女孩，一定要像段誉对王语嫣一样那么好。

本来只是些每个少年都会有的天真幻想罢了。长大以后，有过一些投入或不投入的恋爱，也就慢慢忘却了那种憧憬。可是后来，就真的给他遇到了。

那次宴会上，他一到场便注意到角落里那位像是闪着光一样的女孩。就算是要不停地和人应酬，可总忍不住地用余光看过去她在的那个角落。她不多话，有人跟她搭讪，她就轻笑着回答，心不在焉似的，只拿一杯饮料站在窗口发呆。记得那天她化了点淡妆，穿得也简单，在他看来却有种莫名的吸引力。好运气很快来了，对自己印象很好的那位老教授把他带了过去，说这是太太的外甥女，要让他们认识。

第一次和她讲话竟有点恍惚，他有点不满意自己的表现。回到家，他又拿起尘封已久的《天龙八部》，翻到那个他曾经极熟悉的场景。

"……便在此时，只听得一个女子的声音轻轻一声叹息。霎时之间，段誉不由得全身一震，一颗心怦怦跳动，心想：这一声叹息如此好听，世上怎能有这样的声音？"

这一章的名字叫做"从此醉"。看着看着就会心笑起来。

过了两天仍是忘不掉。真幸运，留了她的电话号码，便发短信过去试试，问下个周末有没有空，可否一起去看电影？发出去以后方才觉得自己太直接了，或许会唐突佳人吧，心下开始有点后悔。

可不出十秒钟居然接到她发过来的一个"好"字。他从床上弹起来，来来回回地在房间里走，盯住那个屏幕里小小的字。

第一次约会是在旺角，看《2012》。影院里不时有骚动，还有女生的小声尖叫，只有身旁的她一动也不动，更没有声音，安静得像一只暗处的猫。从电影院出来，两个人无言并肩走着，路遇发调查问卷的人，他便习惯性地接过，拿出自己随身带着的签字笔，工工整整地填好，然后双手递出去。她看过来的眼神居然又让他不自在起来。

很久之后，她竟然说，就是在那样一个瞬间喜欢上自己的。所以他后来的每次邀请，她都会赴约。

沉静如她居然也会哭。忘了是第几次约会，她总闷闷的，饭也吃得无味无趣。后来到人不多的公园里走走，她就哭起来。说是因为被导师批评，实验不合格，一个月的努力都得重头来过。

就只是因为这个？

嗯。

那种专注，和不设防的软弱真是可爱。那天有点冷，寒风里她的眼泪像是碎了的水晶。她抽着小小的鼻子，哭得委委屈屈的。他终于鼓足勇气抱住她，心里暗自决定要一直保护她，做一个与她相称的自己。

全心全意爱上一个女孩的感觉真好，比少年时的想象还要好很多。他于是准备要告别所有的秘密，戒除心瘾，把那个也许令她无法接受的自己彻底掩埋。

李正豪在英国读书的时候交往过两个女友，都是欧洲人。其实也并不完全是出于寂寞，他也并不特别喜欢洋妞。离开英国之前他想，与她们的交好，大概只是因为自己总不擅拒绝而已。

第一任的女朋友是同学，印度裔的英国人，在社团活动里认识的。一开始他觉得这女孩还不错，有一点淑女的样子，以及想象中的异域风情，很快地也就和她初尝人事滋味。可交往下来以后才发现两个人实在没有共同话题，性格和文化差异都太大，慢慢地就淡了下来。

那次分手虽不致痛苦，但也带来些许空虚与无奈。很快地，学校里的一个法国女孩开始主动接近他，金棕色头发，有些晒斑的白皮肤——他总不懂拒绝这种毫无来由的热情。她漂亮，爱玩，不穿胸衣，吸大麻，周末在酒吧玩到深夜，却喜欢约会亚洲男孩。她总有很多可以玩的花招，他也就跟着她玩。

　　他是一早就打定主意要回港的，也慢慢开始明白和这个女朋友在一起不过是朝秦暮楚，过一天是一天，排解学业重压罢了。真要说是逢场作戏，也不过分。后来，女朋友带他去那种聚会，一开始他是有些排斥的，只是不想扫了她的兴致，可玩了几次竟有点上瘾。扮演成不同角色，尝试灵肉分离，竟是以前从未想过的别样滋味——这感觉很好，他甚至觉得好像是在给自己充电。即便是彻夜不眠，第二天却会有意想不到的精力充沛，像是把一段时间里积累的压力和戾气都释放出去了一样。

　　回香港后他就和法国女友断了联系。住回家里，人也不再像在异国时那样容易寂寞，加上刚工作，处处都新鲜，有段时间他便不再去想，只是疲累的时候总没有合适的出口。后来，也算是偶然，他发现公司附近的大厦有一家极隐蔽的去处，很"专业"，也很安全。去了两次，就成为这里的常客。他一个人去，玩得很谨慎，但每每都很尽兴。他一度觉得这只不过是一种消遣，来这里的大家换一张面具，演喜欢的角色，各自疏解压力，出门后就继续衣冠楚楚地正常生活。

寻欢作乐的生活方式而已，不妨碍别人，也并没什么特别好说的。直到那天遇到她，他才开始对自己的这种生活方式质疑起来。

越了解这个女孩，"一定要和她一辈子在一起"的愿望就越强烈。她喜欢的是那个符合所有人要求的、正常的自己，所以和她的一切进度都要慢一点。

尽管他对这段恋爱有计划，但他们的亲密关系却着实来得比他想象中快很多，几乎破坏掉了他心里的那个完美的节奏。那是两个人第一次单独旅行，去澳门的黑沙滩露营，她的温柔竟来得很主动。这是她的初次，给她带来这么剧烈的疼痛，他甚至有些自责。一切结束以后，她躺在他臂弯，软软地嗔怪着：

"不是说之前交过女朋友，有过不少经验么，怎么简直比我还要紧张？"

他尴尬地笑：

"……两年都没有过了，不太习惯。嗯。"

心里却在想，还能因为别的什么，只因对手是你。

李正豪对b小姐总有点歉疚。

心里觉得自己之前的癖好太暗，更不要说面对的是这样一个像水晶般剔透的女孩。在这女孩面前他不喜欢任何偷偷摸摸的感觉，加上她总说喜欢那片海湾，于是每次约会都一定要在那所有巨大落地窗的酒店，一掷千金也全不在乎。这种有些仪式感的排场让他暂时忘记那个曾经见不得光的自己。

可每次看着身旁的女孩，他总睡不着，与她刚刚的欢好就像是在尽义务似的，目的似乎只是为了掩饰——自己真正想要的方式并不是这个样子而已，可那样的自己，又怎么可能轻易暴露给她呢？他真希望自己的嗜好是一个诸如吸大麻或是酗酒这样的，至少还比较容易被人理解。

而现在，除了紧紧箍住她，便再无其他办法。

有天晚上，她做噩梦，惊叫着醒来。问了几句，她竟有点莫名其妙地生气。他只好转身装睡。

过了一会儿，她一个人披起浴袍从床上起来，走到窗边，呆立住看着对岸。然后便靠着墙坐在地毯上，一头乌发散下来，裸露的小腿上洒着白色的月光。

她一定也是有秘密的吧，和自己一样。世上哪有真正的完美呢？月光再亮，也有它的暗面。那就各自保留一方空间，永远不要去说，也永远不要去问。

李正豪的心慢慢地宽了下来，彻底戒除心瘾的决心却不再那样坚定。

有时候他会觉得那样不好，可更多的时候却是在想，若诱惑本身是无害的，不如去坦然面对，才能把欲望从现实生活中剥离。几番矛盾中，路过那幢大厦，便情不自禁地走上去，那个去处总是很宽容地接纳所有的他。他开始重拾旧的嗜好。把自己的暗面通过熟悉的方式完全释放以后，在爱的人面前就可更完美。

想通了便不再纠结。约一个工作日的晚上，他就去玩。而周末则过海去，或者等她过来，像所有情侣一样约会。这样的日子持续了足有半年。

除了隐隐的担忧之外，一切在他看来很好。直到2011年1月的那个周末下午。那天，他本打算带她到山上新开的日本餐厅去吃饭，入夜后就到湾仔那个老地方去享受二人世界。但在这之前，他得先到公司附近停好车，上楼去处理些事情。匆匆忙忙赶回来之后，女朋友却不在车里，打电话也不接，笔记本电脑扔在后座，却是被她动过了。

李正豪明白了。一切都完了。本应完美的戏码，却被自己亲手搞砸。

当时已惘然

　　b小姐就是b小姐，她有她自己的硬心肠。她宁愿错过，也不愿错付。

　　那件事发生之后，很快就要过年了。正豪家里人问他，要不要留女朋友在港过个年？他推说她想回浙江去陪老人，留不住。心里却在反复思量该怎么跟她解释那件事。过完年回来，他到学校去找过b小姐许多次，可她总找借口说有事——她以前从不这样，就算再忙都会抽时间和他见面。好不容易答应一起吃个饭，却在她的脸上看不出阴晴，吃完便走，他也不知道要说的话该从何说起。

　　她再也不娇娇地叫自己"正豪"，更不会重现那些由她独创的、亲密而好笑的昵称，她只冷冷地叫他的英文名George。只有同事、外国人，或不太熟的人才会这么称呼他。想来她也不太习惯吧，只是在刻意划开距离罢了。

　　这个英文名已经伴着他二十多年了，现在却有说不出的陌生，好像被她称呼的人只是藏在自己身后而已，和真正的自己并无一分一毫的关系。每次听到她说George，心里就像是被一件钝器闷闷地来了一击，不见血，却是无法治愈的内伤。

很快到了春夏之交。再不讲明，她就真的要走了。

有天他终于发短信问她，可不可以再见一面，给他一个解释的机会？

过了很久才收到她的回复：

"还是不必了。其实我能理解你，只是真的接受不了。正豪，不如我们做朋友吧。"

她不太喜欢所谓的交朋友，她说的做朋友，就是什么都没有。

要窒息了。像是能听到心碎的声音。

如果你曾在2011年的夏天去过香港，如果人潮拥挤却极有秩序的中环曾让你印象深刻，如果有一个年轻人与你擦肩而过，他看起来干净又得体，表情却似乎比别人更木然些，他的名字也许就叫做李正豪。

而我们的b小姐最终还是回了北京。习惯了大城市的生活，就再也回不了故乡，在香港待下去的唯一理由又不在了。北京是她最合适的去处。

刚刚回京的时候，b小姐颇有些不适应——两年而已，房租竟涨了那么多。姐姐提出不如搬过来和自己一起住，只是离上班的地方远一点而已，但毕竟是自己家，要自在些。她说姐夫在家，不太方便吧，姐姐却答：

"说实话，现在他也就是过来帮个忙，我们现在已经不住一个房间了，看着他在我眼前晃也是挺烦的。你过来，刚好我有借口让他住回去。等过两年孩子上幼儿园了，用不着他了，我就彻底让他滚蛋。"

她搬过去的第一个晚上，就跟姐姐讲了自己与正豪分手的真正原因。而关于小王的出轨，a小姐也没有再瞒着。那晚两个人谈了很久，不时被宝贝的哭声打断，但两个人都毫无倦意，像是要把这两年在网上和电话里没说的话都一口气讲完。

b小姐印象最深的是姐姐的那句总结：

"你自己要是有了孩子就知道了。其实男人也没那么重要。爱得再怎么死去活来，都是暂时，和自己的骨肉相连才是最真的。其实小王也挺好，至少他给了我一个这么漂亮的孩子，换了别人的基因未必就有这么好。我一点都不后悔跟他有过这么一段。"

"就这么对他没感觉了？"

"我跟你一样，也是眼里不揉沙子的人，就算他再道歉，再补偿，最初的感觉没了就是没了。而且我现在冷静下来想想，当时跟他，也确实是冲动的成分多一点……不过现在感觉就不一样了，看到他那个怂样总觉得挺没劲的，更别提在一起生活了。"

"那以后怎么办？"

"以后的事就以后再说，你看我做什么事是考虑过以后的？不是也这么过来了，而且过得还不错？人都说单亲妈妈不好，我倒不觉得，要是孩子有个不成器的父亲，倒不如女人自己带，还好一点……"

这样也好。转了一大圈，她又回来了。b小姐好像又看到最早的那个骄傲而独立的姐姐，做什么事都只为她的心，如此这般地坦然、通透而绝对，才是她应该有的样子。可自己的心里，总还有些东西没打通似的。

那么就再等等，留给时间去解决吧。

宝贝文文很快就满周岁了。这是个不太爱哭，但很黏人的孩子，别人刮他的小脸蛋，他就把小手伸过去要抱，总看着别人莫名地笑起来。他开始会叫爸爸妈妈，还有姨姨。a小姐总抱着他，跟别人说这才是自己的小情人。

小宇把自己的一些生意合并，又开始接新的项目，注册了家有一点规模的贸易公司。人手有点不够，尤其需要懂行的管理者，最好是熟人。他那段时间总在求着a小姐"出山"，想让她过来公司帮自己做事，发工资给她，或是直接入股都行，由她来选。一开始她总推说孩子还小，或是"不愿意给你打工"，可后来发现不做点事毕竟还是闷得难受，也就同意了。文文白天放在爷爷家，由继母看着，晚上的时候她再给接回去。

有次在一起吃饭时，b小姐半开玩笑地问姐姐，其实小宇对她多好，现在也算是很成功的商人了，又是单身，怎么就从来没有考虑过和小宇在一起？

a小姐只笑答：

"你不觉得两个人如果能在一起，那么一开始就会在一起吗？如果认识了好几年还没好上，那就只能做朋友。我和他不但没感觉，而且不适合，脾气都太冲，至多也就是做同事。而且他真正喜欢的类型绝对不是我这一种……"

是的，在别人的眼里，再怎么合适都是白费，两个人要有感觉才好。而自己对远方的那个人，若是感觉不够，当时怎会与他轻许一生？若是感觉对了，又怎会如此决绝地离开？

或许真该听他解释，看看对他的感情究竟能不能盖得住心里的洁癖。可惜终究还是晚了。

回京不久，b小姐便到以前的公司去上班。公司比以前扩大了，从大望路搬到了国贸，尽管只有一站地铁那么近，感觉却不一样了。

以前的上班地点是在一个闹中取静的小院，从地铁站出来后，走过热闹的华贸中心，再穿过一片林荫道才能走到。那时她总在这里放慢脚步，尽可能地多徜徉一会儿。总有孩子在打闹，或是遛大狗的人。现在到了国贸，却总感觉被笼子框住——交通看似方便了，出了地铁甚至不用走到地面上，跟着一众面无表情的人群穿过一片地下商铺，再和他们一起坐电梯上去。中午叫份快餐吃，忙忙碌碌到晚上，天色已漆黑了。

大学时同宿舍的好友夏夏也在国贸上班，两个人便经常在一起玩，遇到下班早的时候，便约着逛逛街，或者在巷子里搜寻新开的小饭馆。夏夏比两年前胖了不少，依然开朗简单。她嫌恋爱麻烦，有人示好都大多婉言谢绝，说要抓住青春的尾巴好好过几年快活日子。b小姐有时候觉得自己的这个好朋友才是真正聪明的人。

北京的夜景总是朦胧而寂寥，国贸上班族的步调也不像是中环那样整齐，没有那么多装模作样的规矩。大部分的时候，天上都看不到星星。这样的生活真是似曾相识，应该很快就能习惯了。她努力地用工作塞满自己的生活，不让自己分心。

有时候也会想起在香港的那个人。想知道他过得怎么样，就打开笔记本电脑的书签栏，习惯性地点开facebook，当然只有"该网页无法显示"。她看着屏幕，没目的地用鼠标点着空白处。突然就觉得有些可笑。那段来去匆匆的恋情，就像是慢慢远去的一场梦。

如果那天下午没有和他约会，没有看过那些令人心惊的照片，会是怎样？或者他只是去玩，并没有拍下那些照片，又会怎样？是不是一辈子活在不知情里，也挺好？

可偏偏就是知道了。其实和他的灵犀还在，可就算知道他的心是自己的，也没有用。月亮丑陋的暗面一旦显露出来，总会给人心里留下总也躲不过的障碍。此情可待成追忆，只是当时已惘然，说的就是这样的心情吧。或许自己真的只适合活在回忆里。

姐姐说，逝去的才是永远的。突然有些羡慕她，她虽受过许多苦，可总算是有过两段完整的爱情，皆是有始有终无愧于心，现在又有了自己生命的延续，而自己呢，只能这样没有尽头地忙碌着，为那段无因无果的感情费着思量。

窗外雾气迷蒙，隔着一条长安街的大厦被霾挡住，看不太清楚。她收起乱跑的思绪，继续开始工作。

b小姐的老板林先生是台湾人，一直很欣赏她的认真与严谨，以及明明长得美却并不拿来作为自傲资本的态度。她回来公司工作以后，有时去见客户的时候还会叫她一起，只觉得这种气质清雅又懂礼节的女孩比一般的公关更带得出去。他会当面称赞她两句：

"老周真是走得早。否则像你这样的人，多给我介绍几个来公司，多好！"

她也就顺着说一些客气的话。

有次，林先生带她去一家茶馆和人谈事，中途有人进来打招呼，是这里的老板，也是林先生的旧识。当时她背对着门坐，只觉这个声音怎么这样耳熟，回头一看却是熟人。

是老张。周先生曾经的合伙人，曾经追过她的那位老张。

张先生

　　若是放在以前，b小姐一定认为，自己是无论如何也不可能和张先生这样的男人走到一起的。就连考虑一下都完全不会。

　　可现在的她却不那么想。人的一生或许真的是一出长剧，早早登场的配角，再登场也许就是主角了；而出场时人人瞩目的角色，也许根本就是颗流星而已。

　　况且张先生似乎也是有他的好。在他身上，b小姐发现了自己的另一番模样。

　　那次在茶馆见面，张先生一见到她就急急跟别人介绍：

　　"这是老周女朋友的妹妹，她们学校当年的校花！真是不瞒你们说，我也追过她，可人家小姑娘眼光高啊，就是看不上我这样的凡夫俗子……老林，你们公司有这么个宝贝，可得对人家好一点，否则我可对你有意见……"

他总这样没来头地乱捧人，和以前一样。那时候只觉虚伪轻浮，并不很舒服，而且那种话确实也是几年前的她接不住的。可现在却觉得也还挺好。这种场合就是需要那样的人、那样的话。

林先生半开玩笑地往下讲：

"其实你俩还真挺配的，钻石王老五和高学历美女，可不就是绝配吗？跟你说啊，我们这种老男人也有老男人的好，你别嫌弃就行……"

生意场上总得有些轻薄的调笑。她也就做出一副受宠若惊的样子把戏演下去。

原以为那次见面聊天只是应酬而已，可没过几天，张先生居然又到公司来找她——他实在是个很细心的人，大概是怕同事闲话给她带来麻烦，也确实是想制造单独相处的机会，就特地问了林先生，专门选在她独自加班的时候，一个人上楼来陪她。

算下来也是四年多不见了。常年的运动习惯让他的身材保持得挺好，从外表上看，并不怎么见老。当同龄的中年男人身材开始走样，张先生在人群里也着实算是很不错的一个。他开的车子从白色宝马换成了更贵的S级奔驰，但在b小姐的审美里，这车子看起来还低调些，没以前那样浮夸。除了做餐厅外，做金融出身的他这两年又重拾旧业，开始做私募基金。

深夜接她下班的路上，张先生也不知道什么话题是她真正感兴趣的，便开始讲自己海钓和高尔夫等等这些爱好，以及生意场上的那些人。她并不喜欢，于是表现出一点不耐烦，但他显然很会察言观色，很快就看得出来。然后自嘲一番，闭嘴，默默开车，到地方就放她走。

第三次与她一起下班，他突然就问起，是否愿意跟自己结婚？她着实惊了一下。

"没事，我就是先问问你，看看你是不是有这个意向。如果没有呢也没关系，只要还算不讨厌我，暂时又没有其他合适的人选，咱们就先处着……"

老男人确实是有老男人的方法。他很直接地提出自己可以给她什么，以及自己想要的是什么。

他想结婚。很想。他说这两年身边也没缺过女人，"可就连我都觉得她们俗，遇到你这么让我动心的，真的太难"。他现在的生活什么都有，只缺一个伴侣。而另外一个更迫切的需要自然是孩子，所以真的是想找能谈得来又能带得出去的年轻女孩结婚。

"这么说起来你可能觉得我挺猥琐的，讲得那样直接，一点情调都没有，像是在做生意……其实我自己都这么觉得。但我必须得先跟你说清楚了，不想让你这么糊里糊涂。我这个年纪，也就这样了，生活和生意都处理得挺清楚，也就差一个家庭。其实我对你来说也应该是挺合适的，你以后可以不用再那么辛苦上班了，我将来完全可以负担你的所有。而且说实话，我该玩的也都玩够了，你也不用担心什么其他的。你可能觉得我这话说得有点太直接，但我真的是对你很有感觉，也是真的不喜欢那些含蓄的——都这么大岁数了，你也是成年人，我这么说，总比绕了半天再跟你说，要强一点……"

b小姐打断他：

"你不必多说了，我都明白的。"

像是谈成了一桩生意似的，也没讲过什么太多的情话，他们就那么在一起。她没立刻同意结婚，只默许了他的追求。

她想，契约精神与等价交换，一旦非常明确地讲出来，反而比藏着秘密的人更坦荡，也更可贵些。况且，自己的心态和张先生又有什么本质的不同吗？再到八月，自己就已经27岁了。她并不是独身主义，对成家这件事确实有很多渴望，也想身边有人陪有人照顾，不想一天天寂寞地过下去。可在这座烟熏火燎的大城市里，找到一个合适的人真的太难，她开始觉得"感觉"这件事着实太虚无，而且同龄人大多浮躁，或满是抱怨，她实在不愿意再等一个所谓"有感觉"的人出现。

老张是有他的精明，但这种坦率的精明也正是他的可爱之处。那就这样吧。

因为之前一起经营餐厅曾暗生龃龉，a小姐一开始并不喜欢张先生与妹妹在一起。但后来看他对b小姐真的不错，是奔着结婚去的，她又改变了态度：

　　"老张这个人我太了解。要是你没有什么可供他利用的价值，就绝对不能跟他一块做生意，他是真的精明，能玩得过他的人可不多。但是一旦你们俩有一个契约，你身上又有他想要的东西，他绝对会遵守得比谁都好，肯定会实心实意地对你。你要是真想结婚，他倒是非常合适的。"

　　张先生今年45岁了。看得出来，他心里非常害怕衰老，很多的时间和精力都花在修补自己上面。他每天去健身房，很仔细地跟健身教练商量着每天的食谱和运动量，然后按计划完成自己的生活。他做什么事都非常节制，就连和她亲密时，虽然也会用各种方式让两个人都满意，却更懂得适可而止。

　　偶尔提起周先生，但只是以他自己的视角：

　　"老周走的时候，给我的触动真是挺大的。怎么同龄人里就开始有人走了呢？从那时候开始才认识到健身和保养身体是多么重要……"

他有他的冷漠，也有他的热情。他不时买东西给b小姐，又担心她不喜欢，所以每次出手都有点不太自信的小心翼翼。他跟别人说自己有一个很难搞定的女朋友，用尽百般心思只为讨她一笑，带着点炫耀似的。他送的东西无非还是包和首饰，收到后她就自己收起来，放在柜子深处，偶尔把它们摆在床上看看，由衷地觉得那些用大价钱才能买到的东西真的是很好的，也难怪那么多人都对它们那样痴迷。

可仍每天穿着自己买的Club Monaco衬衫去上班。

因为有了张先生的"交代"，老板就对她愈发照顾些。原先严厉的女上司就再也不给她为难。这么多年积累的学历和能力，在职场上原来都不如一点关系来得有用，而自己做了那么多努力，现实结果却只是让自己配得上这个"关系"——想着想着，不由觉得有些好笑。

快要入冬时，张先生突然让她陪自己去一趟马尔代夫，说这次是请一个重要的客户去，要利用这个机会谈下来一件事。对方要带女伴，自己也必须得带着她，否则"事情就没法谈了"。她推说年假要用来和姐姐一起去旅游，没时间去，老张的语气却带着少见的严肃，完全不容她拒绝，还说马上就要订机票，还要立刻带她去买在岛上穿的衣服：

"老林那边我去跟他讲，就说借你几天，不占用你的假期，那么多年交情了，他还能不给我这个面子？"

飞了一夜，又转水上飞机，她看着窗外，渐渐被风景迷住——原来世界上居然可以有这样美的地方。那一整片碧蓝简直超越了自己对"美"这个概念的所有想象。她开始慢慢理解姐姐为什么会在海岛上爱上一个人。

大部分的时间她都在陪老张谈生意。他们与对方就一个有关价钱的数字来回拉扯，他的机锋暗藏和她的温柔得体简直就是完美的默契。某个停顿的片刻，她看着面前的这个人，竟是有点走神。阳光的暗处让他的脸庞显得棱角分明。他嘴角是上扬的，谈笑风生，好像很放松，眼睛却被墨镜遮住。她能想象得到他的眼神在决断时带着的那点肃杀气。这样的张先生她看过许多次，但一旦配上碧海蓝天的风景，这个模样就显得尤其有些味道。

这就是他们说的，所谓成功男人的魅力吗？她暗自笑话着自己，心的深处竟是有些沉醉。

终于跟对方谈到了他想要的那个结果。接着就是一番熟悉的应酬，有海浪声和鸡尾酒作伴。入夜后回房间，刚一锁上门，张先生便一下子环抱住她，说着宝贝你太棒了，这次如果没有你，我一个人真的搞不定这件事。

她挽着他走到窗边，看住繁密的星空，心里生出点骄傲。就像姐姐说的，有的男人只会让你伤心，有的男人却能让你成长。而眼前的这个人，或许应该算是后一种吧。

第二天醒来时，张先生已开始工作，在水上阳台上用笔记本处理邮件。他总是那样专注。她起身把自己打扮了一下，头发松松挽起，换上曳地的花色长裙子，悄声走过去给他送一杯果汁。他的目光移到她脸上停住，看得出来，他有些迷醉。然后就像完全放松了似的，靠在躺椅上，叹了口气：

"我真是何德何能，可以拥有你。"

仍未决定。可心在向那个方向靠拢。

像是没什么知觉似的，2012年就要过完了。可那部电影里的末日仍没有来。

那年的年假，b小姐和姐姐一起去台湾环岛游。先是到高雄，去拜访老板的太太和儿子，顺便带一些东西过去。他们送了她两张票，是当天晚上的演唱会，她们都不太熟悉的台湾乐团。心想反正没事那就去看看。

四万人的体育场，全场都是蓝色的光。一个穿着白裙子的女歌

手在一片喧闹里缓缓登台，那是暖场嘉宾。她开口的第一句歌词，
b小姐就被吸引。

　　我是宇宙间的尘埃，漂泊在这茫茫人海，偶然掉入谁
的胸怀，多想从此不再离开。

　　这歌手好像口齿不太清楚似的，唱着那些看似普普通通的歌
词。眼眶有些湿了，鼻子也酸酸的。她从此记住这首歌。

重 逢

两个女孩的2013年过得都不算太平静。

年初，她俩一起去看了场电影。其实她们都不太爱看那种节奏很慢的文艺片，去看那场电影，只是因为男主角是她们共同喜欢的演员。剧情尚未过半，两个人就在座位上昏昏欲睡起来，迷蒙中听得一句台词，也不知道前因后果，却都被这话叫醒。

"世间所有的相遇，都是久别重逢。"

银幕上女主角的瞳仁黑白分明，带着些朦胧而凄清的绝望。她又说：

"说人生无悔，那是赌气的话。人生若无悔，该多无趣啊。"

真像是被什么东西砸进心里一样。b小姐忍不住转头看看姐姐，没想到她与自己一样，已是泪盈于睫。

走出电影院，冬日暖阳照进眼底，两个人居然都有点恍惚。

这一年，似乎注定了要不断地迎来离别与重逢。

三月里，a小姐终于与王先生正式离婚，开始了单身母亲的生活。

不知内情的旁人说起来她"一个人带着孩子"的故事好像是很苦，但若是细究她的情况，就算是最现实的人也会说她其实选择了对的路。两个人已经分居了不短的时间，这确实是一段无法挽回也不想要挽回的感情。她手里有四套房产，在小宇的公司做事已有一年多，也拿自己的钱入了一点股。日子过得有点儿忙碌，但她从不是一个怕辛苦的人，况且一切都是为了自己的事业，所以也算做得开心。

她父亲退休了，文文放在老家由他与继母带着，她自己也有不少时间可以与孩子相处。对比起来，小王却显得落魄许多，摄影工作室在2012年底终于关张，年初找了份工作，从头开始做一个普普通通的上班族。

没有什么财产纠葛，也算是和平分手。从民政局回来，她与小王在楼下拥抱作别——虽然知道他以后还是会常来看文文的，但不知为什么，就是想有一个告别的仪式。

上楼来，a小姐的第一件事就是往楼下看。那个一度令她多么迷恋的人仍守在那里，坐在石阶上一个人抽烟。躲在窗帘后，看了一会儿就不由叹了口气。

b小姐在家里做了菜等着姐姐。a小姐的一切都被她看见：

"怎么又不舍得了？"

"哪有。只不过觉得他也怪可怜的。而且一段感情彻底结束了，总还是要有点念想的吧。"

"就真的不能原谅他，重新开始？"

"跟原谅不原谅的没关系。我如果还爱他，他就算背叛我一百次，我都愿意和他重新开始。"

b小姐斟了小半杯酒给她。两个女孩扯起别的闲事，就笑起来。

一支烟的工夫，他就离开了。那个瘦高的背影越走越远，又一件事就这么过去。

a小姐依然是美艳绝伦的a小姐。她每天穿最时髦的衣服去上班，头发卷了又直。她买了新的车子，又开始用玫瑰味的香水，逝去的好年华终于被她捡起来。

她身边仍有人追求。有可以一起玩的年轻人，也有普遍意义上的有钱人，任谁看到这样的女孩都会为她着迷，尽管所有人都知道她已经是一个孩子的母亲。她的性子似乎又恢复了十年前的潇洒，别人叫她出去玩，大部分的时候都不拒绝，有时候到很晚了才回家，仍是"万花丛中过，片叶不沾身"。她总在跟b小姐讲那些后生的天真和有钱人的俗套，带着点轻蔑的语气，b小姐就评价她是曾经沧海难为水，经历过了最好的人，以后的眼光也就高了，可她自己却只说恋爱是件麻烦事，自己有一个这么可爱的儿子，又享受着自由的生活，这就够了。

"何必把自己束缚在一个框框里呢？咱们把太多时间都浪费在爱情上，也是太可惜了！"

a小姐拿一把长柄梳子，把刚染的红色头发一点一点梳通，然后一边对着镜子仔细地戴上一只硕大的耳环，一边这么说着。

真好。b小姐希望自己未来有一天也能拥有姐姐这样通透的心，和明白的生活。

四月初，小宇突然说要请姐妹俩一起吃饭。两个人到的时候，居然发现夏夏也在。小宇说的第一句话就是，他和夏夏"五一"假期的时候就要结婚了。两个女孩自然惊讶——她们之前甚至都不知道小宇和夏夏两个人是认识的。

这当然就又是另一个故事了。

两个人是在当年b小姐去香港前的聚会上认识的。当时交换了电话号码，来往了几个回合就确定了关系。本准备向朋友们公开时，a小姐带着小王从泰国回来，在夏夏看来，小宇的反应是有点过激了，小宇却只说自己把a小姐当哥们，并没有别的想法。两个人就此起了争执，最终成为分手的导火索。自认是普通女孩的夏夏一度觉得挫败，便一直瞒住了b小姐这位好友，说什么也不让小宇跟别人讲。后来，两个人又因为其他的事几分几合，彼此怨恨和牵绊，最终确认了对方是那个自己怎么都离不开的人。

别人的故事总是好听。其实也早应该想到的。精明、义气又有些懒散的小宇，和看上去迷迷糊糊、内里却藏着大智慧的夏夏，本来就应该是很合适的一对儿。好在如今一切都是定局，曾经无比认真的爱与恨，终于变成朋友间的一个快乐的玩笑。

两个人都是很会张罗的那种，婚礼自然阵势不小。之前的一番忙碌最终成为婚礼上惹人哭的甜蜜。台上的两个人交换戒指的时候，b小姐哭得最凶。身边的姐姐凑过来：

"你也是时候该嫁人了。就别再等了。"

爱她的男人自然不会让她再等下去。八月，张先生向b小姐求婚。在两个人重逢一年的纪念日。

被带到常去的餐厅，要了靠窗的座位，点了很贵的红酒，低头便看得到霓虹闪烁和车流如织。这是长安街上最好的角落。虽然早有心理准备，可当他说出那句话时，心里还是犹疑了一下。来不及等她分析自己的心思，他就带着点不容拒绝的强迫，直接把她的手拉到自己这边，将戒指套上去——他总是这样强势，一旦他想把一件事做成，从来就不容许对方存有一点点思考的余地。

不过这样也好，省得自己又是犹犹豫豫。

看她像是默认了，张先生显然很兴奋，开始诉说着自己对未来的计划：

"我在望京看了套房子，200多平，有两个衣帽间，电梯直接入户的，又在学区里，我觉得还可以。这周末咱们就一起去看看，要是你觉得喜欢，咱们就把它买下来，明年春天就可以交房入住了。那个小区的环境很好，以后每天早上咱们可以一起去公园跑跑步，你喜欢小动物，我们还可以养一只狗，不过最好还是等咱们的孩子大一点以后……"

"在望京？可是离我们公司有点远。我是不是得去学开车了？"

他却笑了，像是在笑她的傻：

"结婚以后你还想着上班吗？咱们不早就说好了，以后我来负担你的开销，你乖乖待在家里做个小主妇就行了……"

"这是你说的，我可没答应过，我可不想被人养着。"

他有点着急：

"你上班不就是为了赚钱吗？可是以后就完全没有赚钱的需要了啊。而且你继续去公司上班，让人家老林怎么安排你？"

"以前怎么安排，以后就怎么安排啊。"

"你能不能成熟一点？以前你是我女朋友，他对你照顾一下，别让你太辛苦就行。以后你是要做我太太的，你让他怎么继续雇你？你们公司不大，又不可能养什么闲人，你就别给人家找麻烦了好不好？"

"那不行就换家公司，反正就是不想在家待着。"

两人争执了几句，又扯到孩子的问题，他显然有些被激怒了：

"你别不识抬举好吗？在你之前有多少人排着队想跟我结婚……"

原来所谓的等待和耐心也不过如此。b小姐把戒指取下来，放在桌子上，转身离开。张先生并没有追上去。

不开心，就请年假回老家散散心。这次a小姐陪她一起。

陪着外公外婆待了几天，又在周边玩了几个地方，便是看钱塘潮的时候了。

等待的时候自是一片带着期许的安静，两个人便小声聊起一些心事。说到老张，b小姐陷入沉默，a小姐却在替他开脱：

"老张的反应也正常啊，至多就是方式不对。你想，他为什么要等你一年？实际上不就是耐心培养你一年吗？从你身上看不到收益，他当然会着急。婚后要不要上班，去哪儿上班，都是小事情，如果你真的和他说到了结婚那一步，又有什么是不能商量着来的？"

"可是我觉得他说的话有些轻视的意思……"

"你既然跟他那样的人相处，心里不就是想要求安稳？那你就得接受他的思维，归根结底他还是个商人。你要是想求百分百的真爱，就不能找他。从一开始，人家对你讲得已经很明确，能给你什么，不能给你什么，都是摆在桌面上的，我本以为你心里也是有谱的。"

"那如果放在你身上，你会怎么做？"

a小姐笑了：

"我问你，你对他有没有一个瞬间，觉得自己是百分之一百爱他的？不是你说的喜欢，也不是欣赏，就是那种一直要跟着他，为了他可以放弃自己的一切，就算是粉身碎骨也无所谓的感觉？如果有，你就回去，答应他，好好跟他商量以后的事。如果没有，或者你还惦记着香港的那位，那就彻底别想了，或者干脆去找回你爱的人。只要你爱一个人，没有什么矛盾是解决不了的。"

"……那你有过那种感觉吗？"

"当然有。对老周，对小王，我都爱过。十分确定。以后我也会爱上别的人。如果不爱了，就再说不爱的事。我只知道，如果我爱一个人，就会不计一切后果地和他在一起。就算他再轻视我，甚至看不起我，或是有什么别人接受不了的，这个那个的癖好，只要我认定了这个人，别的都无所谓。反正我就是这样。如果你这么想，就会简单很多。"

姐姐看过来的眼神有点怜悯似的。自己是真的爱过吗？或者自己爱别人的方式，和姐姐是不同的？这问题真的很难，越想就越没答案。

潮水涌来了。远远的一线望不到边的巨浪，向岸边狂热地扑来，像是要把全世界都吞噬掉了一样。姐姐兴奋地说着过瘾。多少次在梦里出现的心象，又在眼前。

平平淡淡地过了个"十一"假期，天气就凉了下来。张先生又来找过b小姐几次，却再不提那件让他们发生矛盾的事，只小心翼翼地试探着，说了看房子的新进展，或是一些旅行的计划。后来他的语气终于软下来，说，实在不行就换一个轻松些的工作：

"我也设身处地为你想了，的确，上了那么多年学，只是当个家庭主妇也是真的可惜了，我支持你以后继续工作。可你能不能也为我想想，我是真的需要一个你这样的贤内助，可不可以为了我略微地转换一下角色呢……"

b小姐知道，他的姿态已经放到最低。面对这种讨价还价，她实在无从拒绝，但又无法答应。她愈发讨厌这个不洒脱的自己。

直到发生又一次的故人重逢。

那天，她照例和两个同事一起去公司附近的小馆吃午餐。正在低头吃饭，旁边经过几个人，是附近银行的职员。当她看清楚时，心已是跳得厉害。

似乎比别人要更妥帖些的衬衫，清爽的头发和弧度正好的表情，比记忆中略瘦削了些的模样，说得不算太清楚的普通话，还能是谁？

她叫了一声"正豪"，他的脚步停住，笑容僵在脸上。

都是和同事一起，也不便多说什么。离开时她看了一眼他胸前挂着的工牌，还是那家银行。他终于来了。

自 救

正豪的这两年过得不好。很不好。

b小姐离开了，他当然知道错在自己，她那样决绝，一定是留不住的。可过了很久仍是不适应，总觉得她的离开对于自己来说并不只是一场失恋那么简单，心里就像被挖去了一块似的，无论怎样都补不上去。他的工作依然是忙，别人问起，倒也能拿自己的失恋开个玩笑，就说是女朋友毕业了不愿留在香港，又不相信异地恋，就此分手。可一闲下来就总习惯性地想，周末的约会要怎样安排才让她开心？几秒钟后，方才回过神来，突然意识到她与自己的距离再也不是一片海湾，而是有两千公里那么远。而现在的自己，根本就是独身一人。

彷徨中又约过几次那座大厦里的去处。可不知怎么，每次都很勉强，不过是身体上的发泄罢了，不好玩，只能用蛮力，心里又不停在想对方是不是不满意，更像是在做一场注定进入不了角色的戏。从大厦里出来，漫天的霓虹灯照亮整个世界，心里总涌上些无法坦然面对的自轻与耻辱——本以为自己是那种身体与心灵可以完全分开的人，但现在看来，以前似乎是高估了自己。

感觉不对，那就不必再去。可心里的压抑和工作带来的疲累还在，总得想办法排遣。他对自己要求很高，总不容许自己的颓唐与锐利在不相干的人面前露出，于是就变得愈发寡言起来。烟、酒与极限运动，他一项一项地试过，企图用新的心瘾来盖过旧的，可没一次是成功的。又先后交了两个在工作里认识的女朋友，可总也没办法让自己完全集中精力，对方就不愿和他再相处下去。那就只能继续寄情于工作。

慢慢地就开始对自己有一点恨意。他宁愿回到遇到她之前的那个心无旁骛的李正豪。

无计悔多情。大概这便是了。

可还是想她。

有时候过海去办公事，回来的路上实在太累，就在地铁上睡着。到红磡站，听到站名就会骤地惊醒，总觉得她就在站台外等着自己——等见了面，她一定会帮着整理一下头发和领带，笑笑地把一瓶自己最爱喝的饮料塞过来。忍不住吻她一下，她会紧张地看看周围川流的人群里有没有人在看，然后攥紧他的手。

注定是逃不过去了。于是注册了微博，随便起了个从未用过的名字，毫不费力地就找到了她。看了一会儿，就又把自己看低，觉得自己像是一个见不得人的偷窥狂，不断在远处的暗角观察着她的生活。可终究还是忍不住，每天都要去刷新一下。

她关注的人很少，几乎找不到什么线索。只发一些简单的图片和寥寥几句文字，记录着她看来简单的生活。照片里就只有风景，看不到她自己现在的样子。但能感觉得到，她应该过得不算闷。

叫她小姨的那个可爱的宝贝已经会走路了。

北京的雾霾天愈发可怕。

与好朋友一起逛街，被她喜欢的衣服都很贵。

去了马尔代夫和台东看海。对着那些风景，她会不会想起香港的海？

她去过许多次高尔夫球场，和看上去还不错的餐厅——她一定是在和什么有钱人在谈恋爱吧。或许已经结了婚？她那样的女孩，一定很快就会被其他男人夺走。想着想着就被莫名的嫉妒笼罩。

不行，必须要搞清楚。可又不敢直接去联络她。公司在找愿意到北京长期工作的人，他想都没想就写了申请递上去。去看看她生活的城市，就算遇不见，那也是好的。

申请的回复很快就下来了。他飞到北京工作。

刚来的时候是夏天，所以大多数时候的天气都没有想象中那样坏，只是炎热而已。天高云淡，一点都没有香港夏天的潮湿粘腻，心情总是清爽的。马路很宽，楼与楼之间也没有那样逼仄，公司附近就有还不错的茶餐厅，闲下来的时候也比以前有了更多的去处。不到一个月，他就熟悉了这座城市所有的livehouse，在那里总有对胃口的摇滚乐和不贵的啤酒。到了周末，便一个人到各个景区去逛逛。到颐和园泛舟总能让心情开阔些，在长城上遇到雷雨几阵，也不必去躲。

有些麻木，但总算在渐渐恢复。在这个陌生且多元的城市，就连自己这样一个外来客都要更愉快些。这么比起来，香港就只是座大商场。也难怪她不愿留。

慢慢地就觉得她成为了一个无处不在的符号。去哪儿都觉得是她去过的地方，有时会对着空气说起话来，就当身边是有她在。

可真的遇到时，却仍是心慌。那天中午回到公司，他便开始反复思量。

要不要主动联系她呢？她看到了自己的工牌吧，或许她会来联络自己？可如果那样的话，是不是把降低身段的角色踢给了她？或者她根本就是有了新的男友，重逢对于她只是多余的打扰？

想来想去就又回味一番中午的客套对话。她下意识里对自己的称呼仍是"正豪"，而不是那句冷漠的"George"，神色也是惊喜的。然而当着同事，她的惊喜一闪而过，接下来总有些刻意的隐藏和压制，那些表情和心思，他都再清楚不过了，如果只是把自己当普通的旧相识或已无感情的前男友，她该不会这样。或许真的还有希望？那就不管了，赌一把，必须自救。哪怕是以朋友的身份再去接近她。一旦下了决心就打开微博，给她发去私信。

她很快就回了过来，同样也是轻松随意的语气，就好像是一对多日不见的老友。你来我往地在网络上寒暄一番之后，也没多问什么，约了晚上下班以后去永安里吃北京菜。

整个下午过得很慢，偏偏手上要做的事情又不多，只能盯住电脑右下角的时分。可见了面却更不自在，总觉得两个人之间隔着一层撕不掉的嘴脸，在相互试探。那就只好说天气，说电影，说面前都快凉了的菜，和各自的家人。正豪不敢直接看她的眼睛，只能在她起身时迅速打量一下。

那个总背着帆布背包、穿浅色连衣裙，言谈间总带着让他心动的娇嗔和生涩的女朋友完全变了。眼前的她，多了些自如的老练，讲话带着他在工作中经常碰见的白领腔调，甚至变得有些强势，整个人被丝质衬衫和高跟鞋包裹着，拿的皮手袋的牌子也是他认识的。

只不过两年多而已，她竟然变得那么快。一定是什么人把她变成这样的吧。正豪心里难免又有点酸楚涌上来。

吃得不尽兴，可又不想立刻就这样散了。踌躇间他才想起去问，有没有什么可以去散散步的地方。她也好像松了口气，说不如就去南长街，离这里不远。这个季节最适合去那条古老的长街吹吹晚风。

坐地铁到天安门西，出来右转，便是北京夜晚最悠然安静的去处。可话题越继续，就越像是朋友。

路过中山公园西门，她说这里的春天会有最美的郁金香花展：

"如果你明年还在，我可以带你去看。"

又说广场上的那座国家博物馆最近有个什么什么展览：

"一直想去看可就是没合适的人陪，或者我们周末可以一起去。"

风一吹树叶便簌簌地落下来。路右边有间小酒馆亮着昏黄的灯，那就进去一人点杯啤酒。他看着菜单说北京的什么都很便宜，她颇带着点骄傲：

"北京的什么都比香港好。再过半个月香山的红叶就红了，改天我带你去爬山……"

改天，什么都是改天。有种冲动，可总还是找不到出口表达。

终于她半开玩笑似的说到他期望的题目。

"你不会还一直都单身吧。"

他就也调整到可进可退的语气，还带着自己都觉得可耻的笑：

"跟你分手以后就真的是曾经沧海了，跟谁交往都不对，你看这不又回来找你了吗？"

"可为什么不立刻来找我呢？非要等偶遇吗？"

"是觉得你肯定过得不错啊，我这个前男友怎么好意思随便打扰呢……"

不知怎么，她像是有点愠色：

"那你帮我出个主意吧。你知道吗？我上个月被人求婚了，可我还没想好要不要答应他。"

她说起那个叫老张的男人。自己的直觉没错，马尔代夫，那些幽暗的餐厅，还有高尔夫球场，原来真的是和一个男人一起去的。

说起老张对她的控制，她的语气就有些不一样了。表面上看是在抱怨那个男人，但不知怎么，总觉得她说这些像是在向自己宣战似的——她好像也是微醉了，胳膊撑在酒桌上，眼睛里明明就写着试探与招惹。这女孩分明就是自己的。为什么居然和另一个男人发展到求婚的地步？她以前根本不懂做出如此这般的神情，她居然学会了利用男人的嫉妒……这简直是太荒唐了。

喝完一杯就出门继续向北走。心思乱到极点，费了好大的力气才听她讲完。然后就只有自己无力追问的声音：

"为什么没答应呢？听起来还不错。和你很适合啊。"

她突然停下脚步。

"因为你。"

还没来得及回味，却发现竟已走到故宫西北角楼。

蓝丝绒般的夜色，月亮已接近完美的圆。他从未来过这里，好像真的比照片里和想象里的都美很多。城墙沿着天际线笔直地伸向远方，矮树的影子在河里轻轻飘动。恍惚中眼前这个女孩似乎更陌生，再也不是在香港时那个娇美的样子。她咬着嘴角，看过来的眼神只是挑衅，又有点陌生的乖顺。

月色和灯光映在她脸上，一整个世界的诱惑像是扑面而来。正豪突然就决定了。他伸手拦了一辆出租车，语气带着命令：

"跟我回家。"

暗 涌

出租车上b小姐有点恍惚，尽管身边的男孩紧紧攥着她的手。

她也搞不清楚自己刚刚是怎样鼓起勇气讲出那句话的，只知道他真的不再是那个曾经熟悉的正豪。印象中的他总是周到、平和，相处的时候他不算多话，事事谦让，但总能感受得到他心里的沉着。

然而今晚的他却像是变了一个人。自从下班见面开始，他就好像是灵魂出窍一样，极力隐藏着什么似的。虽然人就在面前，但感觉心却不在这里。或许真的是跟老张在一起时间长了，她发现自己学会了用话语里的计谋，可就算自己如何暗示，他总在逃避着那个应该由他来提出的话题。说想和他一起看风景，说自己被求婚的事，可他只是顺着讲下去，毫无新意。

难道他还在意着什么。其实如果喜欢一个人，个性的污点又算什么，一旦说开了，是不是就可以两个人一起慢慢解决。

她还是想试。眼看着他一点点圆滑地避开，她终于学会果断。

正豪住在城市东边，公司给他租住的一间小公寓。

默默跟着他下车，坐电梯上楼，手仍被他紧握住，两个人都低着头不说话。锁上门的刹那，才来得及仔细看他——这两年他真的是瘦了些的，也许是不适应北方的干燥空气，也许是乏人照料，他的脸上有些比原来粗糙些的地方。突然觉得有些紧张和尴尬，太不真实，像是回到和他还有点陌生的最初。想找个话题掩盖住自己的不安，那就四处看看，找个讲话的由头。

沙发上零散落着他的几件衣服，便坐过去一件一件叠好：

"虽然是一个人生活，但还是要讲究一点，怎么记得你以前是不会让衣服这么散着放的……"

还未把一句完整的话讲完，便被从后面紧抱住。他把刚刚叠好的衣服一把卷到地上，头发和手臂被他扯得生疼。

再也没有从前的那种温柔。几乎没有呼吸的余地。迷蒙中被他不停拉扯，只听到他在耳边断断续续的话，还伴着热的气息：

"你知不知我有多恨你。"

"为什么？"

"你就那么一走了之，你把我完全毁了。"

"其实我也不想……"

"你居然还和别人。"

皮肤被身后的他掐到钻心的疼，他竟可以那样狠。可心中却一点都不害怕。他又不停地在用广东话讲粗口，像是出于他心里的嫉妒，像是发泄他心里的苦，又像是压抑了很久的本性终于爆发出来。如果这样能让他真的愉快，那自己也没什么承受不了。跟着他一起去，慢慢地也失去了思考的力气。

尘埃落定前她看到某种瑰丽的颜色。心里冒出一个念头，不如就这样吧，就算是停在这里死掉也无所谓。但一定是要和他一起。

就像是过了一个世纪那么长。他终于松开手，把她推到沙发上，自己却走到了房间的另个角落。过去曾看过他的狂喜、他的愤怒，却从未看到他哭，可眼前的他却真的好像在哭。迎着一团安静，他缩在那个边角，就好像是个犯了天大的错误又不知怎样去弥补的小孩子，哀哀地哭。

想拿出纸巾想给他擦泪，他却拿了毯子把她裹住：

"对不起。真的对不起。你快穿上衣服，明天还要上班，不要着凉了。"

"……不用多说了。其实早就原谅你。"

"你到里面床上休息吧，对了，还没让你洗漱一下就这样待你，对不起……"

什么也不必说，就紧紧抱住他，想哄他，只想让他开心起来。突然就想起姐姐说的话，这是百分之一百地爱一个人的感觉吧，就算为了他粉身碎骨也在所不惜。以后若能和他在一起，不管是过着怎样的生活都可以。辛苦为他工作，或被他藏在家里，被他保护，或被他伤害。坚强或软弱的他，周到或忘情的他，像情人或像野兽的他。

无论怎样，只要是正豪这个人，只要和正豪在一起。

——就是那样的瞬间。一点没错，一切正好。终于找到了。

就那么拥着在沙发上昏昏沉沉地睡着，被他的闹钟叫醒已是第二天早上。

就算身体再怎么酸疼，再怎样不舍得与他分离，也得各自起来去上班。好在是同路的，好在能和他一起挤挤北京的地铁，又能与他再靠近些。他做了简单的早餐，不过是煎蛋和烤面包而已，却是只有他才做得出来的、记忆中的旧美味。衬衫昨晚被他揉皱了，正在想该怎么办才好，心思却被他发现。他只小声说对不起，取出他的蒸汽熨斗，一遍一遍地默默帮着熨好。

真的忍不住又开始想未来。多希望这是一个可以无限次重复的清晨。在北京或者在香港，有没有亲人在身边，那些都是极小极小的小事。心里只在恨自己为什么当初走得那样不留余地，为什么要浪费和他最好的两年半。不过这样是不是也好，若不是这场久别，便看不清楚自己，以及他内里迷人的暴烈与真正的温柔。

一起挤地铁当然也是甜蜜。

在呼家楼换了十号线就更拥挤。只两站就到国贸，出站就要各自进入不同的大厦，就算中午可以见面，可一分开至少就是半天。至少三个小时。他努力撑住周围人的样子真是有点可爱，是想给自己营造一个相对大一点的、可以呼吸的空间吧。突然间就想跟他说些什么。

踮起脚尖，在他耳边讲出那句他一定希望听到的话：

"结婚吧。"

可他看过来的眼神竟有点恐惧和犹豫，真有这样可怕吗？她于是又说了一遍，他小声的回应却令人有些心凉：

"怎么就说起这个了？"

"就是想和你结婚啊。"

周围的人都听到了，他们好像都在偷笑。他却一直不说话。气氛卡在这里，不上不下，有点不高兴，那就只好沉默。

一上午过得有些魂不守舍，偏偏有重要的工作要做，间隙中不停刷新微博和邮件，都没有他的来信。手机一响就赶快拿起来看，却都是工作消息，她一次次失望。

　　独自在公司吃了顿无味的外卖。下午有人送花到公司。带着点盼望跑到前台看，果真是给自己的。

　　银灰色的盒子，系着紫色绸缎丝带。打开来，12朵白色玫瑰兀自娇美。同事们围上来，她找出那张卡片，是简体字的漂亮行书：

　　"你是永远的初心。一直都在等你，嫁给我。"

　　没有署名。有人开始起哄，可心里的甜只持续了一秒钟。她拨开人群急急跑到电梯间，按下按钮的手指都在颤抖。跑到楼下，才赶上花店的送花人：

　　"请问送花的人是李先生吗？"

　　对方带着暧昧的笑，翻着手里的本子。

　　"让我看看……对不起，他不姓李，是一位姓张的先生。"

　　有风吹过，心里有难堪的宿命感在暗涌。

　　等了三天，依然没有收到来自正豪的消息。老张来过一次，又是被带着去高楼上吃饭，只是闲闲扯点别的，也没急着要她的回复。她想说点什么，但话题总也打不开。

196

继续等了几天，却意外收到出差的通知。过半个月要独自去一趟温哥华，十天的行程。要赶快订机票和办签证。也好，就当再给自己一个放空的机会。

回家找护照时告诉姐姐要出差。她却问可不可以同去：

"老周的弟弟现在在温哥华住。老周……他也在那里。他走了有五年多了，我一直都想去看看他，但我自己肯定是去不了的……"

也是。那就带上姐姐一起去，看看周先生的最终去处。

温哥华

临行前 b 小姐还是决定约正豪吃顿饭，工作间隙的午餐。还是想跟他要一个回答。

这些天来，她一直都在揣测他的想法。他应该还是爱着自己的吧？他是说了恨，可没有足够的爱，又何来那么多恨呢？如果不是因为爱，他为什么会离开从小长大的城市来这里？如果是这样，他又有什么顾虑呢？现在的他与自己，明明才是最合适的，比在香港时还要合适，难道不是吗？

约在两个人半个月前遇上的小馆，到了以后才觉得这个约会根本就是错——先是排队等位置，好不容易坐定，身边又总有各自公司的同事在走动，不停递过来有些好奇的目光。就只能默默低头吃饭。用完餐还有一刻钟闲暇，想在楼下的咖啡馆坐坐，却找不到空余的座位，只好在行人匆匆的马路上随便乱走。

终于她问出那句话。可过了许久，他才开口：

"我是爱你。可是我们再也回不去从前了不是吗？"

"谁要回到从前？只喜欢现在的你，不可以吗？"

"我搞不定我自己。跟我在一起，你不会开心。你当我是有病吧。"

若不是在阳光底下，就一定一定会抱住他。可就连他的眼神都在躲闪。他眼睛里布满红血丝，无论如何都看不透他究竟在想什么。整个人都好像是陌生的，就像一个深不见底的黑洞。

忽然又有些明白了。他说的也对，真的回不去从前。月的暗面一旦暴露，就不可能像从前那样坦然。以前总以为相爱的人就要在一起，其实哪里有那么简单，所有人的心里都有自己和任何人都跨不去的障碍，就连他也不例外。有些人只有在自己安排的戏里才能活得踏实舒服。而那晚甜蜜的暴戾和切实的温柔又算什么？只不过是一场误打误撞的错位吧。

正豪点燃一支烟，坐在路旁的台阶上抽起来。以前的他从不抽烟。快燃尽的时候，那就真的不得不离开了。

送她到公司楼下的时候他终于讲出口。像是带着点哀求：

"你可不可以给我一点时间让我整理一下我自己？"

可以。当然。

"你不要怀疑我，我是真的爱你。是我自己太差劲，我控制不好自己。我不知道以后和你要怎么相处，我必须得做一些准备和心理建设才可以……"

为什么要控制，只要是真实的你就没有问题。

他又沉默，b小姐看着他，好像开始懂了。真的曾以为自己会是他的解药，现在才发现，或许只是病因。或者这样的自己也是有病的，那就只有自己来解。还好，第二天就要飞走。和姐姐一起飞到地球的另一端，暂时逃开一下，去体会那个最初的自己。

两个女孩谁也没坐过那么久的飞机。连续在云上的11个小时，是足够想清楚一些事情的。开车送机的人是老张，办票，拿行李，交代长途飞机上要注意的事情，在出境口目送……他就像个真正的家人。

离地面越来越远，舷窗外的日落很慢。a小姐只在想周先生，一点一滴地想。马上就要见到他了，真好。

刚刚遇到时的那个落拓而神秘的人，慢慢接近时那个如父亲般给予凝望的人，灵魂渐离时那个平静又带着不甘的人，录音里那个曾说要保护自己一辈子的人。这几年发生了好多事，可为什么好像时间还定格在他在的时候，为什么闭上眼睛时还是能清楚地看到他的样子？

他走了真有那么久了吗？那时的自己真是太年轻，仿佛从未真正触及过他的灵魂，他就那么离开。等自己可以平等地与他对话的时候，却已然在两个世界渐行渐远。

她当然知道身边的妹妹在想什么，因为她也和自己一样睡不着，也吃不下什么东西，只跟空姐要了红酒来喝。妹妹静下来的时候总会把周围的一切都带入空茫。想跟她说点什么，可并不知道该怎样去开解她——那些事情必须只有她自己去经历吧，感情的事又哪有那么多的设身处地。

周先生的弟弟来接机。b小姐住到城里的酒店办公事，a小姐这几天便一直寄住在他的家。

他们兄弟俩长得并不相像，气质也截然不同。初见周先生的人都会觉得他有点无来由的狂妄，他的温和与多情只留给熟悉的人，但他弟弟却不一样，总带着些老知识分子的温文尔雅，以及在海外久居华人的富足与自在，对人对己都一样。

温哥华已快入冬了，到的那天气温却不怎么低。阳光普照，微凉而湿润的空气让人清醒。这是一家最典型的北美家庭，住在一幢郊区的别墅，草坪被打理得很好。家里的太太也是温和大方的人，做得一手好菜，工作日也去上班。15岁的儿子和12岁的女儿都讲英文，是教养很好又优秀的孩子。周先生的父亲已经去世，七十多岁的母亲与弟弟一家一起住。

一开始也曾担心会不会太过打扰，但a小姐很快地就找到了和这家相处的方式。她总是开朗而自在的。第一天中午，她便推着周妈妈的轮椅，到院子里晒晒太阳，与她聊天。

　　虽然不方便走路，但眼前的这位母亲着实是个开朗健谈的老人。丧子与丧夫之痛似已渐远，面对远道而来的客人，她只是想多说一些自己和家人过往的经历。

　　她说，自己在那次回国前就曾看到过a小姐的照片：

　　"第一次看到你的样子，就在想啊，这么好看的女孩子怎么会喜欢上我儿子呢？"

　　话是这么讲，脸上却带着骄傲的笑。接着就零零散散说下去：

　　"其实我心里是更疼他一点的。他从小是个漂亮的孩子，女人缘也一直比弟弟好。但是我总担心他在别人那里会显得太不成器——好像他做一件事就没有想要做好过。这也是他父亲不喜欢他的原因。

　　"他们父子俩一直都相处得不好，所以他才回国。你也是双胞胎之一，你一定知道的，两个人总会有比较。弟弟显得讨巧些，也简单些，他不一样，他的性格里有太多复杂的内容，总容不得旁人，也不太容得下自己。你遇到他时，他或许还好些，毕竟年龄也那么大了。但他年轻的时候真的是个古怪的人，我是他的母亲，都觉得他怪。我总在想，怎样的女孩能跟我这个儿子相处下去呢？

"我知道你一定会问起曾和他结婚的那个女孩。她也很美啊，看上去两个人就很相配。那时候他也才28岁，处理不好他自己，难免会被人说成是自私。和人保持长久的关系本来是不容易的，他又把自己的想法看得太重，也就难怪分手。

"你是善良又单纯的女孩，你很直接。也怪不得那么快就走到他的心里，让他重新有了结婚的想法。看到你以后我就知道你是可以治疗他的那个女孩。只是可惜他走得太早，老话说情深不寿，大概是真的吧。

"他知道自己有病之前是给我们打过电话的，说是要结婚。和年轻女孩。他父亲又当他是胡闹。可他是真的认真啊，好像从来没感觉到他有那么高兴过。从电话里都听得出。看了你的照片，我当然喜欢你，一个快40岁的男人当然要有归宿。可他父亲说什么都不会看好他做的任何事，说他如此这般地胡来，和人结婚不过是在害人，果然是一辈子不会成什么大事了……"

a小姐不说话，她只在听轮椅上的老太太细碎又平淡地讲着他的事。听着听着就想哭。原来他也经历过被轻视的苦，以及失败的伤。难怪他从不愿过多地提起他的父亲。

他终究是和自己一样的人吧。说他是孽子也好，家庭的叛逆者也好，他得到的爱终究是残缺的。他并没有自己那时想象的那么完美，而人和人之间真的因为缺失才会真的相爱。相爱的结果无非就是用不同的方式补足彼此。

虽然他不曾讲过，但过了这么久，好像终于触碰到圆满。就像是拼上了最后一块拼图。

咖啡煮好了，就和老人一起慢慢地喝下去。手被她轻轻握住：

"我心里一直是把你当做家人看待的。你能陪他走完最后的时间，一直都不知道要怎样感谢你……我们现实里没有做家人的机会，可和你有这么几天相处的缘分，就像是再一次看到他一样。我到底已经知足了……"

远山上层林尽染，a小姐重温了与老人共通的遗憾，可心里的底色却是暖意融融。那个让自己初次懂得爱的人，一直都在心里和身旁，从未走远。曾经历过的世间凉薄已是过眼云烟。

午后微微落了点雨，a小姐便推老人进屋，看旧物和翻照片。

他小时候有不少照片。出生的时候只有黑白的相片，大一点以后开始有彩色的。几乎没有单独一个人，都是和弟弟一起。他的童年看上去应该过得还不错，在香港，在上海，在北京，被带着去日本和美国玩。可眉宇里总锁着点可笑又可爱的忧郁。

突然目光就定格在一张照片上。那是在迪斯尼乐园吧，用宝丽来相机照的。照片里的两个男孩大概有十岁，两个人对着镜头比剪刀手，笑嘻嘻的样子，每个人的手上都带着块米老鼠的手表。

怎么竟那样眼熟。是在哪里见过吧。

想起来了。她不禁有些失色。或许自己几年前的那个猜测是真的，妹妹和自己一样，她也爱过老周。

林中路

在温哥华的第四天，两个女孩一起去看周先生。

墓园离他的家并不远。一家人本说要陪着一起去，但a小姐说只想单独与他讲讲话，由妹妹陪着就好。他们也就不强求，并把车子借给她用。

一路往山上开，离他越来越近。那是一片开阔而宁静的墓园，与大海和雪山遥遥相望，风景极美。两个女孩拿着花束拾阶而上，心里并没有许多伤感，感觉更像是在一座世外的花园里徜徉。

周先生长眠于树下。一块小小的墓碑，与他父亲的立在一起。

愿他在那儿并不孤单。愿他们终究和解。把花放好，默默地与他待了一小会儿，a小姐突然开口：

"你也是爱过老周的吧。"

有些难堪，只有沉默。过一阵子又听到姐姐的轻语：

"其实也没什么。都到现在了，你完全不用担心我会介意什么。我知道你也从未对他讲过。"

好像心里有个地方突然轻松了下来。可仍不知道该怎么说。

"想想也是挺有意思，咱们的性格那么不同，总算是做过同样的事。"

"其实后来我本来是想跟你说的，但因为怕你想到小王和欣欣的事，会不高兴，所以就觉得没必要了……"

a小姐笑了：

"你放心，我都理解的。他那样好的人，当然会很轻易就给人爱上。而且不知道为什么，知道你心里有过他，我反而更想跟你讲一些其他的事。"

"什么事？"

"你的事。你要听我的看法吗？"

"好。"

"其实我真的很羡慕你。"

"为什么？"

"你现在爱的人，起码他还活着。就算你有很多困难，你还可以让该发生的事全部发生，你不觉得吗？你还有很多机会，他毕竟是爱你的，一切你都有的选。"

"可是我要怎么选？他自己有很严重的问题，我看不清楚他，他也不给我机会去看。我走不到他的心里……我不知道怎么去帮他。"

"你如果真的顾虑这些，不如就与老张结婚好了。多简单。你与他相处那么久，他对你多好，你对他又不可能没有一点感情。"

"……如果你是我，你会怎样？"

"如果放在几年前，我想大概还是会替你选正豪吧。他有什么缺陷，那就拼命地撞上去啊，用尽全力，那就不可惜了。反正爱他，反正也相信爱情能弥补一切，不行就从头再来，大不了和他一起死，反正就是要纠缠到最后一刻，也没什么所谓。对不对？"

"那么现在呢？"

"现在的话……说实话，我如果劝你，我会让你选老张，跟老张那样的人在一起你绝对会保持自己的简单，因为他会以你为重，而且他足够成熟到可以给你一个最好的生活。只有物质生活好到一定程度，你才能完整地保存属于你自己的精神世界。可能一开始你会不甘心，但绝对你会过得很完整，很舒服……"

"那如果是你自己选呢？"

"我自己选，恐怕还是选最爱的人吧。"

"那又是为什么？"

"人生这么几十年，能爱上一个人是一件挺难得的事情，既然他并没有完全地拒绝你，他心里一定是需要你的，可能只是不知道在你面前该如何自处而已。你不能只做一个被他爱的女朋友，你得真的学会去帮他，用各种你能想到的方式开解他……"

"可我还是怕，到最后两个人都不快乐，或是干脆连自己都丢了，到时候一定会后悔。有时候觉得还不如相忘于江湖吧，这样至少还能简单一些。"

"你记得我们一起看过的那部电影里女主角说的话吗？我到现在都记得很清楚。"

"哪一句？"

"说人生无悔，那都是赌气的话。若真无悔，那该多无趣啊……"

几朵低低的乌云渐次飘过，看来是要下雨了。

沉默一阵，b小姐又开口：

"我才该羡慕你。你真幸运。你的感情总是很明确完整，不像我总是患得患失。"

"你会觉得完整，只不过是因为老周走得早。我们之间也有许许多多的问题，如果他不走，总有一天我们也会觉得收拾不了。谁也保证不了他对我的爱情能够长久。那时候总觉得自己没文化，配不到他，但现在才明白，他喜欢我的不过也就是那时的单纯和直接而已。可时间久了，我如果不再像他的想象，或许他真的会变心。而且他也有很多性格缺陷，也不一定能搞定他自己。只不过我那时候年纪小，发现不到而已。他根本就还是个不算成熟的人，他活得还不如老张那样完整……"

"可是一段感情能完整地结束，也算是件好事了。"

"是。至少我这辈子都能留下一个完美的念想，至少让我不留遗憾地活下去。"

姐姐看得真是通透。如果有一刻，能和正豪有一个像样的结束，该多好。不管以什么方式都好。可现在这么不明不白，终究还是不甘心。

为什么自己会成为这样？自己和姐姐明明本该就是一个人。脑海中晃了半个月正豪的影子，她终于开始想其他的事。

姐姐是比自己经历过更多的苦楚吧。总觉得是因为自己有个压抑的童年，才会变成现在这个讨厌的样子，可总好过姐姐身处一直被忽视的家庭里。她曾拼命地爱过，彻底失去过，遭遇过背叛，才让自己有了新生的机会。而这个奇怪的自己，总与自己有隔膜的自己，是不是也得去经历一些总在逃避的事？

林中总有两条路，选那条难的走走，又有何妨？

"你不觉得我们去拼命地爱人，无非就是想要补上自己缺的那一块吗？"

"对的。我们都不是很正常的人。"

"这两天和老太太聊天，我才明白自己当初为什么就会爱上老周，是潜意识里觉得在他那里找得到自己的影子。后来爱上小王也不过是出于弥补的心态。"

"这么说来我对正豪也是一样。以前那个很正常的他，我是喜欢的，可总觉得少了些什么。直到看到他的另一面，那个足够激烈又总是在逃避和胆怯的他，才觉得好像是找到了自己一样……"

"这就是了。他需要你治疗，如果你觉得治疗他也是在治疗你自己，那你就去做啊。可是你得清楚，选什么都不是因为对方，而是因为你自己。你如果觉得一种简单的方式让你更舒服，那你就马上去和老张结婚。也不是为了物质生活，你做什么都得是为了你自己的心。"

是。做什么都得只为我心。如果没试过，那又怎么会懂？

b小姐的眉头终于舒展。她心里已有了自己的决定。

突然一阵骤雨落下。a小姐撑开伞，b小姐紧紧挽住姐姐。时间已过去很久。再看一眼，就该走了。

再来就不知道是什么时候。直到此刻，b小姐才有心思仔细地端详一下这块小小的墓碑：

"其实周先生那么讲究的一个人，墓碑也是太简单了些。落款就只有他弟弟而已，显得好孤单。"

"对啊，应该补上我们两个的名字才对。"

b小姐打开背包，找出随身带着的便签纸和水笔，写下两个人的名字，贴在落款旁边。与姐姐对视，轻笑一下，然后跟周先生说再见。

雨过得很快，下山的路很长。离开之前，a小姐又回头看了一眼让自己多么挂念的那个人。

周启文之墓

弟 启明 泣立

棕灰色的墓碑若不是那张粉红色的便签纸，大概是孤单和沉重了些。因为那上面写着两个人的名字：

王莞钰&王莞铭

天晴了。那么便收起雨伞，走吧。

番外篇一
周先生的回忆

莞钰

莞钰，莞钰。

默念这个名字的时候，在病床上的周先生总会想起诸如"我的生命之光，我的欲念之火"这样的句子——他读过些书，《洛丽塔》的前几段，中文和英文的版本，他都记得烂熟。

"莞"出自她母亲的名字，钰是因为五行缺金，这个字也把她和双胞胎妹妹莞铭区分开来。认识她时，她只20岁。她那时的美真是有些过分的，人人见了她都过目不忘，那种满是骄傲和杀气的美就像是要把人的灵魂都掳了去。可在他这里的两年，她被改造成了一朵足够娇美的玫瑰。软玉温香，就像是她的名字。

这么说起来，也算是做了件足够有成就感的大事吧。

在接近不惑的年纪爱上这样年轻的她，与她相爱后却必须得离她而去……而以后的路，她总是要一步步独自去走的。想来总像是犯了罪。

"你放心，杀人犯总能写出一手妙文。"那部小说起头的第三段是这么写的。

莞尔一笑这样的意象其实并不太适合莞钰。刚认识时的她总是肆无忌惮地大笑，别人讲一个不好笑的笑话，她居然总笑得眼泪都要掉下来。周先生有时说她的这种笑法是"号啕大笑"，带着些对汉字的玩味和对她的调侃，她便似懂非懂地睁大眼睛。

后来与她恋爱了，才发现她的那种笑容不知何时开始收敛了，变得轻浅起来，甚至有几分懵懂和羞涩，像是一个心无旁骛的小女孩突然就有了心思。她问过好多次，是不是妹妹莞铭那种安静内向又有些学识的女孩更有气质、更讨人欢喜些？

其实周先生并不喜欢她那样问。他最初喜欢她，就是因为她野生的状态，并不是因为她像谁。一朵真正的、十足的野玫瑰就该是这个样子的。而这朵迷人的玫瑰居然盛放在自己手里——他想着想着就觉得有些不可思议。

其实一开始真的只是被她的美吸引而已。第一次与莞钰讲话，周先生的话问得有点突兀。

本想随便搭讪一下，问她用了什么香水，或是洗发水，味道着

216

实很特别。可一开口，话却变成这样：

"你在哪儿上学？"

她那时刚喝了点酒，脸上带着点故作的轻佻。坐在高脚椅上，从上到下打量着他，最后把下巴微微扬起来：

"你问我吗？我没上学，就一动物园服批练摊的。"

"不信。"

"明儿早上六点去老天乐二楼最靠北边那一道找我去？"

"行吧。为了你，我怎么着也得早起一回。"

第二天，周先生醒来已是上午十点了。这一天也没什么事，就想去履行一下昨天轻易许诺的约会。起床洗了把脸，对着镜子刮刮胡须，还是决定不去。

昨天的调笑已显得有些轻浮了，若延续下去，岂不是比轻浮更轻浮？这并不是个好开始。或者，面对来自老男人的轻浮的搭讪，一个够聪明的年轻女孩理应给自己编造一个没所谓的身份？而自己居然当真了，实在显得太傻。

那就算了，无论怎样都不该去。接着期待下次在台球馆的、理所当然的偶遇。

三年后的周先生靠在医院的病床上。莞钰用小汤勺一口一口地喂他吃饭。

他努力进食。吃进足够的东西，已变成他最重要的一项任务。亲人都不在身旁，只有莞钰每天替他算着，哄他吃着，为了他满世界奔波着。

这段时间，他的病略有好转，不再疼得那么不可忍受。甚至都可以下床，到医院的院子里去坐上一下午了。当然也可以逗逗猫，读读书，做些与治病完全无关的事情，更可以用很多时间和莞钰讲讲话，或是若无其事般地谈谈情。于常人来说越普通的事情，对他来说就越是无上的享受。

她说：

"你记得那会儿你第一次和我搭讪吗？你说要去市场找我。"

"记得啊。"

"可是你后来为什么没去呢？"

"难道你去了？那会儿你不是已经是大老板，不用亲自看摊儿了？"

莞钰有些沉默，她总因为这些小事耿耿于怀。后来她却笑了：

"对，我去了。等了你一天。收摊的时候告诉自己，不许再这样了。"

"哪样啊？"

"就是对你积极主动过于上心啊。"

"现在后悔了吧？"

"并没有。"

她的语气有一点硬，说完便跑去洗碗，毫无征兆地结束了这段对话。

她的背影比那时显得瘦削得多，原先的一点点婴儿肥和孩子般的任性已然褪去，几个月的操劳让她的样子总笼上一副让人心疼的倦色——一朵玫瑰本不该这样的。周先生有些恍惚起来。他突然意识到，他的小莞钰终于长大了。

曾经是想要陪她长大的，可她现在正浪费着她最好的年华，来照料一个垂死的自己。事情怎么就变成这样了呢？或许她的心可能跟自己一样，已经变老了。否则为什么时常都会有种和她在一起已经很多很多年的感觉？

不知该责备当年的自己没有赴约，还是该庆幸，最终与她把该发生的关系都发生了？

他们的恋爱始于一场夏日的暴雨。如果真要算时间点的话。

一开始，莞钰总是和一群人在一起，是些与她差不多年纪的年轻人。偶尔与她说上两句话，也不过是不熟的朋友之间暧昧的调笑，可他总感觉哪里不对，与这样一个真正迷人的女孩，是该更认真些的。

后来终于找对了与她讲话的节奏，就约着一起去吃饭和看电影。两个人当时都算是有钱有闲，彼此都是对方可以消磨时间的良伴。按某个网站上推荐的馆子，一家一家地吃过去，或去他常去的小酒馆浅酌两杯。莞钰的口味很年轻也很廉价，如果要她来选约会的地方，那一定不是川菜就是什么面馆，后来带她去一些真正不错的餐厅吃刺身或法国菜，她吃得同样满足——和他以往的女朋友们全不一样，她简直太容易被取悦了。

那时与莞钰的谈话总是很琐碎，又极"表面"。这种方式和与其他女人的相处都不一样。和别人，总是谈收藏品，谈红酒，谈生意，或是各式各样的形而上……而和莞钰，谈什么都正常，而且好像从未如此轻松。

怎样的女孩穿怎样的衣服会比较好看，报纸上写的奇异的凶杀案，选秀节目出来的中性偶像的魅力到底在哪里，经济形势究竟是好是坏。周先生的观点总是和别人不同，而小莞钰对一切显得不一样的人和物件都有种蒸腾着的好奇。

或许自己真的是老了，需要一个年轻女孩的崇拜来支撑那点可笑的自尊了……周先生这么想着。另外，是有多少年都没有试过这样步调缓慢的恋爱了？距离离婚也有十年了，中间有过几个女朋友，从认识到确定关系总不会超过一个月。可和莞钰……她那么天真，在别人面前她又显得那么世故。偏偏就是有兴趣和她试试看，那种年轻人才会有的暧昧。什么都不明确的感觉，总是很好的。

在话语的间隙，她的眉梢总是蹙起来，或是有些不甘心似的，抿起嘴唇。她的心慌只是因为想要他明确地说些什么。可一旦说出来，可能以后就再也看不到她这番失措的神情了——自己应该已是胜券在握了吧。

但总还是不舍得立刻去赢。

那天天气闷热。周先生与莞钰一起到海淀去约会。没开车，吃完饭就一起散散步。

暴雨突然就来了，没带伞的两个人一起跑到最近的屋檐下避雨。一道闪电和一声炸雷显然是把她给吓坏了，一下子惊叫着捂住耳朵。想也没想，周先生就一把将她紧拥进怀里。等这一阵雷彻底过去，就放开她，心里还在想，刚才是不是有些唐突了。

可怀里的她却贴得很紧，不愿离开，还带着些委屈似的，就像一只刚刚找到主人的小动物。

电闪雷鸣。莞钰半湿的头发里渗出点熟悉的玫瑰香，与面前池塘浑浊的水汽混在一起。"花开堪折直须折"，周先生终于决定不再等。那晚，他把莞钰带回家。

后来想想，真是有些后悔当初的莽撞，早知道她是第一次，就该再等等的。可如果早知道自己得病呢？早知道与她正常的恋爱只有不到两年的时间呢？应该20年前就认识她，亲自看着她长大，才算真正不枉此生吧。

第二天的日光很烈，雨过天晴的空气总是足够新鲜。周先生把莞钰带到自己的餐厅去。她非要牵起手，做出大方的样子。见了这样的两个人，店长和店员们都在偷笑。

　　上午时分还没顾客，老张也还没来。楼上办公室订了一面宜家的小边桌，周先生便自己动手组装起来。莞钰在旁边坐着，托着腮静静看他。

　　他只低头做事。偶尔抬眼看到她天真与迷离的眼神，好像是带着点点泪光。他问：

　　"想什么呢？跟真事儿似的。"

　　"你别笑话我。"

　　"不会。"

　　"我突然觉得啊，我以前的心是空的，就像个还没装修的房子一样。现在我把钥匙给了你，你进来一番敲打，还带了很多家具，你就那么住进来了……"

　　"嗯……懂了。就是说，你现在已经名花有主了。"

　　一向伶牙俐齿的莞钰又不知道怎么接下去了，低着头笑起来：

　　"那你也算是名主有花了……"

　　这样羞涩的她真是难得一见，也是真可爱。好多年没动过这样的心思了，周先生找了张白纸，写了几个字送她：

心居落成志喜。

她很惊讶，又很满意——大概是第一次有人送字给她？她把那张纸折好放在钱包里，带着极珍重的神色。周先生松了口气，心里有些侥幸：幸好她不懂，这六个字是偷《红玫瑰与白玫瑰》里佟振保的。

夏日的阳光哗哗地穿过树叶照进屋子里，把小莞钰的黑发照得有些发黄。她的睫毛微颤着，像是透明的蝉翅，又像是盛放时的花蕊。

莞钰再见

　　别人都说莞钰和莞铭两姐妹恰巧是红玫瑰与白玫瑰的组合，两个人长得一模一样，却各有各的美。

　　周先生听到这种说法时总有些不以为然。他觉得所有的，也是唯一的玫瑰只是莞钰，起码在自己的心里是这样。对于这个问题，他从未有过异议。

　　他年轻的时候曾经非常希望有一个女儿。与前妻新婚燕尔时，曾经很认真地跟她讲过，不如生个女儿吧。到现在十年过去了，前妻早已离开，也没有出现一个愿意给他生孩子的人，慢慢地，他对女人欣赏的角度却变了。眼前的这个莞钰，有时候还真像是想象中的那个有些调皮、有些乖巧、需要被保护的小女儿。

　　后来又觉得莞钰像是家人。她很独立，像任何其他他有过好感的女性一样。与她一起去商场闲逛，她看到喜欢的皮包和鞋子都要坚持自己刷卡买下来，另外喜欢做的事就是帮他挑衣服，看他试衣。她总说自小的梦想之一，就是把心爱的男人打扮成自己喜欢的样子。

于是便不再坚持自己，不穿旧皮衣，每天都要刮胡须。她总说骑摩托是件幼稚事，显得过时，还很危险，后来他就找了间地下室把摩托长期存放起来，出门不是走路就是开车。

后来的后来，就由她陪着进了医院。这时的莞钰，好像突然变成了一个长辈，万事都由她来管，还多了许多唠叨。而只能在病床上躺着的，什么都做不了的自己，不过也就是属于她的一个无能的婴儿罢了。

与她的爱情不仅是罪，还是一种醉。那并不是麻醉师的精准下药，也不是饮酒过量后的神志不清，是能让垂死的人因为上了瘾而再次醒来的那一种醉。

只可惜当时并不完全懂得。

莞钰那时总表露出想要结婚的愿望。明示或是暗示，半开玩笑或可怜兮兮。

有时候是不太认真的自贬：

"像我这种在不完整的家庭长大的孩子吧，其实也就是想早点成个家，你觉得呢？"

有时候则是带着些自我推销的意思：

"你说像我这么好的姑娘，你这辈子肯定遇不到第二个的。能赚钱，没准还能旺夫，性格又好，长得又美，不爱花你的钱，还不跟你瞎矫情，你说是不是遇到这么个姑娘就该娶了吧？"

更多的时候是带着些遥远的遐想：

"你说我们以后的孩子长得会像谁？性格像谁？"

看着她的样子，总有点心软，又不想承认自己的麻木与无情。是不够爱吗，也不见得。只是她太年轻，不懂男女之间关系的束缚带来的不痛快，自己却太老了，总觉得自己担不了所谓丈夫的这个职责，而老人的犹豫，总不算是很大的罪过吧。

有次带莞钰去香港，想法就开始不太一样。

每次都住的那间酒店这次居然住满了，只好换到附近去住。周先生有点认床，换了地方总睡不习惯，翻来覆去总是无眠。天快亮时，莞钰也醒了，说真是睡不着就不如找地方去一起散散步。他想起那座西贡码头附近的小岛，是小时候他们一家人经常去野游的地方。突然间有兴趣带她去。

坐早上的第一班港铁过海到钻石山，再转巴士到西贡码头。往返小岛的班次频密，十几块港币就能买张船票，开船的人似乎还是30年前的那一个。路线未改，一路的所有角落都与记忆中一模一样。

到了岛上，先去给天后宫添香。记得那时这里的香火很旺，每次来这里，母亲都要上炷香，祈求一家平安。现在却寥落得只剩三三两两的游人。莞钰和那时的母亲一样，也是那种进庙必拜、逢拜必虔诚的人，这次也不例外。

问她求的是什么，她笑说讲出来就不灵验，不讲。

不用问，她的每个愿望都与他相关。

天后宫后面的小路也与往时相同。一径走下去，便可以找张带凉棚的双人椅，与她一起坐下来看海，一如当年和父母以及弟弟。坐了一会儿，莞钰便说困了，靠在他肩头沉沉睡去。

晨间的薄雾褪去，天色渐渐清朗起来。耳畔的徐徐海风在吹，带来些旧时的咸气，海天的蓝色被铺满草甸的山坡捧起，不知劳累的海浪温柔地扑向料峭的岩石——想来也是很久都没有与山水相对了。这一年多，习惯了有她在身旁，仿佛那座看惯了的拥挤大城里的车流就是山水，自己也全然忘了独处时的隐隐寂寞，不太想去刻意地寻清静，就连昌平的那座房子也已经很久没去。

身旁的女孩鼻息均匀，她睡熟了。

不太敢动，生怕把她吵醒。心里念起三十年前在香港的学校里熟背过的《兰亭》。

"是日也，天朗日清，惠风和畅……或取诸怀抱，晤言一室之内；或因寄所托，放浪形骸之外……暂得于己，快然自足，不知老之将至。"

老之将至。想来自己的这一生也只是徒有幸运而已，而放浪形骸的时间果然过得最快。只是那时与现在，有什么不同呢？

三十年前，一家人来这里看风景，三十年后，他们在地球的另一端，并不知道自己的这趟回来，当然这对他们也不重要。而自己是如何离开他们，把自己放逐到北京的？身边又是如何只剩下这个熟睡着的小莞钰？时间真是件磨人的事，揽住她的左臂有些发麻，从不沾阳春水的这双手已经开始爬上皱纹。

从那时到现在，自己真正拥有的，可能就真的只是这一天一地的风景，和新添的这一朵开得正饱满的玫瑰了吧。

午后坐船回西贡去吃海鲜。

这渔村的风景比以往热闹许多，本地的食客和游客都来这里觅食，不再是记忆里那个有些破旧的渔村。莞钰却说这里的闲适是她向往的：

"不如我们以后搬到这里来住吧。"

"好啊。"

好像是第一次如此这般地接了她这样的话。她的脸上闪过些惊喜，却怯生生地不敢再讲下去，接着埋头与蟹腿作战。

晚上与友人约了见面。这位老友的一间新开的酒吧在太平山的半山上，一直说要去看看的。赶在落日前带她往港岛去。

到了目的地，夜幕已然降临。见面以后自是一番寒暄，朋友带着他们在店里转转。莞钰说她很喜欢那一面能看到香江夜景和整个中环的玻璃墙：

"这种地方真的是最适合求婚了，就像是整个城市在做见证似的。"

老友就笑：

"老周，你是不是也该做点什么了，女朋友都这么说了……"

莞钰却急忙开脱：

"没有没有，是真的觉得你这个地方好，所以随便说说，我才不想那么快就嫁给他……"

话是这么讲，可回酒店的路上，她总恹恹的。神情像是最初约会时的那种无奈，只是好像比那时更少了些期待，显得有些不知所措的样子。

老之将至……可能真的是该做些什么了。为莞钰，也为自己。

从香港回来，周先生给温哥华的家人打了电话，还把莞钰的照片发过去给他们看。他说自己要和这个女孩结婚，通知一下。仍能听得到父亲不信任的责怪，以及母亲和弟弟有意从中挡着的遮掩。

其实真的想做一件事情便行动得很快。他瞒着莞钰订了戒指，拜托那位老友留了两个月后的场地，想要到时候给她一个意外的惊喜。量指围的那天，好像让她有了些警觉，他找了个平常的借口搪塞过去。她的眼神立刻黯淡下来。

这次决不能让她失望了，想要给她承诺，想让她快乐。这是"老之将至"的自己唯一能做的一件好事了。周先生这么想着，好像又回到十年前那个还有些冲动的、年轻的他。

那段时间总生病。事实上那些身体反应已经是致命大病的前兆了。可那时并不知道，总当一般的感冒发烧来治。一生病，莞钰就过来照顾，话里话外总带着些甜蜜的抱怨：

"你看你怎么那样容易生病，还不到40岁就得我来照顾了，要是活到80岁，我岂不是得照顾你40年？"

她总是这样的，爱情对她的意义就是一辈子，从第一次，到最后。不过还是要再等等，一定要到那一天给她一个彻底的惊喜。于是笑着看她：

"早知如此何必跟我好呢？是吧？"

莞钰只低头找药，她已经习惯了他漫不经心的不在意。

求婚计划最终还是败给了一张诊断书。而自己……未到真正"老之将至"的时候，就要做好迎接生命尽头的准备了。没想到，终究还是要靠莞钰照料余生。

只不过并不是40年那么长。

提结婚这件事于她来说已经成了个习惯。前两天，结束了一天的奔波忙碌之后，她倚在病床旁，又在讲，还带着些她以前没有过的偏执神情：

"老周，这两天我得把你从医院弄出去一趟。"

"干吗去？"

"咱俩得去民政局领个证。"

"什么证？"

"结婚证啊。"

"……还是不要了吧，好像还得去外交部办证明，折腾不起。"

愣了两秒钟，她突然转头跑出去。

过了一阵，妹妹莞铭悄悄走进来。问，刚才发生了什么，为什么姐姐在外面哭成那个样子。

"没什么，就是她又提结婚。我没同意。"

"你答应她吧，你不知道她哭得多难过。要不，我现在回去帮你把戒指拿过来？"

"还是不要了。都撑到现在了，算了。等我病治好再说吧。"

提到病情，就连莞铭也沉默了。

窗外落日的最后一点余晖渐次散去。莞钰又去和医生谈话，回来后，她变得有些急躁起来。一定是什么什么指标又在下降了。

一道闪电划过，瞬间将窗外的暗夜照得如白昼一样亮，接着便是隆隆的雷声。看来，这又是一个多雨的夏。三年前也不过就是这样一个雷雨夜，与莞钰一起躲雨，在屋檐下抱住她，雷声过了，她仍不愿放手，委屈地说着已经等了很久，不想离开。

然后，就果真再也没离开。

这晚的雷声并不比那晚更轻一点。可莞钰早已经可以泰然处之，她像是没听见一样，絮絮念叨着整理东西。她不再是会惊叫着钻进他怀里的那个小女孩。而那时总把所谓"一事无成"挂在嘴边的自己，终究还是太无知无畏了——至少那时伸出手还能抱她，动动嘴就可以说出让她高兴的话，还可以带她去她想去的任何地方。

周先生叹了口气，用手臂支撑着自己，费力地躺下去。希望今晚能有沉睡到天亮的福气。

番外篇二
夏夏的爱情

配角夏夏

夏夏与莞铭是睡上下铺的好朋友。

大一开学不到两个月，莞铭就成了远近闻名的校花。于是在旁人眼里，夏夏的位置着实有点尴尬。作为莞铭最好的朋友，夏夏替她收过一些情书，而被不认识的男孩请吃饭，对方也不过只是为打听莞铭的情况罢了，并没有人是特地为她而来。

夏夏也曾帮着莞铭做鉴别，哪个人会更好一些，最后莞铭谁都不想要，关于这些人的评价也就随之变成她们俩之间的玩笑话。莞铭本身爱静，从不主动参加什么集体活动，宿舍、教室、姐姐家是属于她的三点一线。除了夏夏之外，她在学校里也基本上没有什么真正可以称得上朋友的人。夏夏的朋友却有不少。她个性很活泼，参加了好几个社团，与同学们总能玩在一起。大家对她的评价也不错，用的最多的两个字就是"人好"。有人问过夏夏，与莞铭这种不费力只靠外表就能成为众人焦点的人在一起，不会觉得心里不平衡吗？

夏夏想了想：

"不会啊，和莞铭在一起就是很开心！你们说我人好，她人也很好啊，绝对是个外冷内热型。而且我觉得和好看的人在一起，自己也会变好看呢。"

其实她心里也知道，自己的"人好"和莞铭的"人好"根本就是两个性质的事。漂亮女孩的"人好"是锦上添花，就算她"人不好"，总还是有人喜欢的；而像自己这么普通，真的也就只能靠"人好"了。所谓雪中送炭吧。

这是夏夏从小就明白的真理。

当然夏夏也没有"人不好"的理由。

她是很循规蹈矩的女孩，前二十年的人生完全没有什么特别值得称道的事，也没有出现任何大的波折和烦恼。爸爸在超市工作，妈妈是单位的会计，一家都是大家评价成"人好"的普通人。她在胡同里长大，从小也没什么别的特长，只精通于考试，一路重点中学名牌大学地升上来。

她没莞铭那样敏感，常被人说成"心直口快"，所有的冷静和理性都用在了功课和实验室里。她总在给别人出主意，却没有很仔细地思量过自己的人生，总觉得老天待自己不薄，所以与人为善也完全是理所当然的事。她总觉得自己有点胖，但也还过得去吧，反正大不了就做一个开心的路人咯——美食当前时，她总这么安慰着自己，然后大口大口地吃下去。

　　后来，莞铭喜欢上了她姐姐的男朋友，虽然她一直也没有直接承认，但夏夏心里是知道的。

　　再后来，这男人住了院，不到一年，他就去世了。莞铭整个人就像是失了魂，从那以后直到毕业，她都住在学校，再也不与姐姐见面。

　　毕业的前夜，同宿舍的其他人都回来得很晚，夏夏与莞铭在宿舍里最后一次"卧谈"。讲起这几年出现过的一些人，夏夏就忍不住说：

　　"你说，那个老男人到底有什么好的，至于让你们姐妹俩这样吗？"

　　莞铭沉默了很久：

　　"可能是他的样子满足了我的一些幻想吧……"

　　因为满足了幻想，就会因为一个男人与同胞的姐姐决裂吗？夏夏没说出口，但真的觉得完全不值得。她知道莞铭有她的感情洁癖，她自己也有，那就是一定不会喜欢上不该喜欢，或是根本就不适合的人。

过了一阵，莞铭又补充：

"等你将来真的喜欢上一个人，你就明白了。很多事情真的不是自己能够控制的。"

夏夏不是那种开窍早的女孩。她总甘当一个配角，这样的身份让她感觉安全，就连她的名字都很普通：许晓夏。她由衷地觉得自己和莞铭以及她姐姐都不一样，美丽而伤感的爱情故事注定只有她们那种名字和模样都不普通的女孩能够拥有，而自己的将来……能和最普通的人享有一份现世安稳，也就知足了。

大学四年，她无数次地与莞铭分享过自己对爱情的憧憬。

"我的幻想……其实也没什么幻想啦，无非就是他能孝顺，善良，长相什么的就无所谓啦，路人就行，有感觉就行。要求够低吧？"

躺在上铺的莞铭却说：

"其实没要求就是最高的要求，真的！心里有点具体的，比如你总得跟他有话说吧，一个路人是不可能让你真的动心的啊。"

"我想想啊……喔，知道了！最重要的一点：他必须是皇马的球迷，一定得把巴萨看作死敌，这样看西甲的时候就不会吵起来。还有，世界杯的时候必须支持荷兰，必须讨厌葡萄牙，嗯，就这么定了。"

后来，夏夏真的喜欢上一个人。她就此明白，原来爱情并不是两个人一起看球，或是与好朋友一起随便谈天那样简单。爱情来的时候，不仅会推翻她之前预设的一切条件，而且还会伴着嫉妒、自卑与控制欲，以及性格里那些自己都没发现过的、且完全不令自己喜欢的元素，汹汹而来。

　　如果按她想象中自己怕麻烦的个性，她宁愿不要。可是，如果没有磁场那么强烈的吸引力，那就不叫真的爱情了。

遇 见

夏夏很喜欢一首嵌着她名字的老歌，叫做《真夏的公车》。

小时候只是觉得这歌有夏天和海洋的味道，很清新，音符里洋溢着满满的青蓝色。她常常不自主地就跟着哼唱起来。可很久以后，她才知道，等爱真的就像是在等公车——它总在猝不及防的时候到来，时常要追两步才能赶得上，也许坐上之后，也并不觉得有什么可贵，然而一旦错过，就得付出比之前多许多倍的、几乎无止境的漫漫等待。

第一次遇到小宇，是在送莞铭去香港留学的饭局上。当时夏夏已经毕业一年，莞铭和姐姐也已经和好如初。

小宇送莞钰过来，然后顺道坐一下。本来是说"坐坐就走"的，可当时饭馆的电视正在放着一场不甚精彩的国内足球比赛，不

238

知怎么就与夏夏说到了西甲。双胞胎姐妹两个都是不看球的人，她俩一直在旁边讲关于香港的事，而夏夏和小宇那时都没去过香港，也插不进话，于是两个人就这么就着烤肉，从足球开始聊起来。

夏夏一直把所有的巴萨球迷都定义成"超恶心的自恋狂"，明明只有皇马的球风才是正统的、足球本来的面貌嘛。可这个小宇居然是个巴萨迷，她总觉得志不同不相为谋，喜欢的俱乐部既然是死敌那就不要聊了，但他却偏偏爱跟人较真，讲话的样子又很好笑，让人有点愿意顺势与他争下去。

饭局散后，莞铭要去住她姐姐家，两个人打车走了。夏夏走在去地铁的路上，小宇的车在旁边停下来：

"你住哪儿？"

"天通苑，你呢？"

"这么巧！我家也在天通苑，就在西二区！"

"啊？我住西三区。"

"上车吧，我给你捎回去。"

小宇开一辆很普通的白色大众高尔夫，像是已经开了很久的样子。后座凌乱地放着一些杂物，也不太清理。他开得很稳，车速不快。夏夏以往没怎么坐过陌生人的车，也没有太多与异性在狭小空间里单独相处的经历，她对不熟的人总是有些提防。但这次坐在小宇的副驾，她却有种前所未有的安心，安心到自己都并未感觉得到有什么异样。车上有一些零食，一边聊天一边就吃起来。一路上的时间都被话题填满。

没怎么聊足球，两个人都像是在故意避开这个话题似的，生怕出现话不投机聊不下去的断点。只是交换了些彼此的情况，以及天南海北的闲话。这个讲话有点痞气的男生好像什么都懂一点：肋排要怎样烤才好吃，《盗墓笔记》最新更新的情节是什么，最新型号手机的隐藏功能，各个地段房价的涨势……好像所有她感兴趣的东西，他全知道一些。

霓虹和月亮都在闪烁。一路送到小区门口，夏夏说，我就在这里下车，你回去吧。他却坚持要把她送到她家楼下：

"都这么晚了，你们小区这么大，既然都送到这了，就干脆也别让你多走路了，一看你体型就知道你不太勤快。"

"你还真是没把自己当外人……"

这话一出口，夏夏就觉得有点不太合适了。刚见了第一面，他本来不就该是个"外人"？还没来得及品尝这一点刚刚出现的尴尬，下车前，小宇突然没头没脑地来了这么一句：

"以后咱俩可能就只能一起看世界杯，不要一起看西甲了。"

以后一起看世界杯？他是有些言外之意？别人总说自己迟钝，那么这次呢？应该不会是过分敏感吧。

回家以后给莞铭打了个电话。做出随便讲讲的样子，说刚刚是小宇顺路把自己带回家的，却听见莞铭在电话那边问她姐姐：

"小宇家在天通苑吗？我怎么记得不是啊？"

然后是她姐姐的声音：

"怎么会在天通苑啊？他买四惠的房子都住了三四年了！离天通苑十万八千里好吧。"

再迟钝的人也能猜得出是怎么回事。于是赶快另找了个话题盖过去，好在莞铭也没再追问。

夏夏一向是沾枕头就能睡着的，高考和重要的面试之前，她从来都是信心满满，几乎没有因为紧张而睡不着的经历。可这晚她竟有些失眠。她拼命告诉自己，第二天还得上班，有个重要的会要开，还得做一份复杂的报表，好多封英文邮件要发，必须得赶快睡觉。可总也无法进入梦乡，心思乱得很，脑子里全是小宇与自己的各种话题，以及这个讲话有些慢、看样子有些懒散的男孩。

心里有点隐隐担心"如果他不来找自己怎么办"，然后又有一点点带着自怜的悲伤：还真是没被人追过啊，人家一略略示好，居然就会胡思乱想这么多？他是莞钰的朋友唉，还说自己常去夜店玩，和自己根本不是一个圈子的，怎么会偏偏挑上自己呢？

窗外响起第一声鸟鸣时，她才渐渐进入梦乡，可没过一小时就被短信声吵醒，是小宇发来的。

"昨晚睡得好吗？"

"还行。"

"你几点出发？我接你？"

"不用麻烦了，我坐地铁就好。"

"反正咱们离得近，我反正今天是要去国贸的，一个人两个人都是一样的油钱。"

不到半个小时，他的车子就停在楼下了。夏夏抓起背包赶快跑下去，心慌得厉害。

一路却是无言，两个人都在不停打哈欠，困得很。眼看快到公司，夏夏终于开口：

"其实你不住天通苑的吧？"

前面绿灯转红灯，他好像没看到，一下子就越了线，猛地把车刹住。

"你还挺机灵的……昨儿晚上跟王莞铭打听的吧？"

"嗯。"

"我最近也挺闲的，以后都接你上班好吧。"

"真的不用，我坐地铁更快一点的。"

"那五号线哪是人坐的啊？"

"可是你不是住四惠吗？接我要兜个大圈子吧，多费油钱，我坐地铁才两块……"

"甭啰唆了。我是想追你，好吧。"

红绿灯变绿了。他吸了吸鼻子，踩了脚油门，若无其事似的。

虽然也不知道该怎样回应，可心里却雀跃起来。

到公司楼下，夏夏说你停在这别动，等等。然后跑到一楼的星巴克买了杯冰美式，又跑回来：

"你太困了，这样开车不安全的。我先去上班，你把咖啡喝了，提提神，等一下再走。"

恋 爱

夏夏其实并不胖，客观来讲，她只是有些圆润，在人群里也不够显眼。可她最好的朋友莞铭从来都很清瘦，她喜欢的明星都是瘦子，她就认为瘦才是正常的，于是总把自己的胖挂在嘴边，像是十分介意似的。

她自小没做过主角。上学的时候，她成绩和人缘都很好，在班里的职务却永远都不会是班长或是学习委员这类"核心角色"，老师安排给她的角色一般都是生活委员或宣传委员，是优秀学生里的边缘，但她总觉得自己就该是这样，踏踏实实地把该做的事情做好。现在到了外企上班，她学通信工程，对于这份工作来说算是科班出身，但日常的工作都是事务性的，或是"流程监管"一类，仿佛从未触及过核心。

"我也不是那种有野心的人吧。"金牛座的夏夏总这样想着。

这次与小宇的恋爱，几乎是她23年的人生里第一次做主角。在别人看来，23岁的初恋似乎是来得晚了些，可她却隐约觉得，这个开始好像是太快了，就像是被另一位主角强行拉上了台——本来是在幕布后面做了许久的准备，幻想着锣鼓喧天粉墨登场，可那位与自己戏路根本不同的男主角跑到后台拽了她一下，跌跌撞撞地就跑上台，莫名其妙地做了女主角。

有次对他讲：

"其实你真的不用对我这么好的。"

小宇埋头吃着一碗牛肉面，头都不抬：

"我对你怎么好了？就那回事吧？"

"就比如说绕远接我啊，之类的，总觉得你每天那么累那么烦，还得为我做这些事，心里还挺过意不去的……"

"就是因为每天又累又烦，才想找你聊天呗。"

他讲话尾音的"呗"拉得很长，他真可爱。必须得对他好，比他对自己的好还要更好一些。

是太快了吧？可夏夏并不是一个擅长控制节奏的人。她从来就是这样的，总受不了别人对她好，别人对她有一分好，她就要十分地回报过去，否则总是不能心安。

小宇那时刚开始创业，代理了两个品牌，注册了家公司，在三元桥租了间很小的办公室。他总说年轻的时候要多赚钱，然后踏实娶媳妇。刚开始与夏夏恋爱的时候，他的生意刚好赶上秋初的旺季，一旦忙起来就会非常忙，没有周末，公司、工厂、物流、商场、客户的饭局几乎占据了他的全部时间。两个人约会的时间，只能由他来说了算。他每次都不由分说地去接夏夏上班，或是抽空与她吃饭。而夏夏从不懂得矜持和拒绝，他安排的每次约会都会去，乖乖地上他的车，或陪他说话。

　　有时候也想：这样就叫恋爱吗？每次见面都由他来定，只要他打一个电话，自己就会立刻出现，而且每次慌慌张张的，像是朋友一样只谈琐事，没有情话。每次分别的时候，他的拥抱足够让人心跳加速，心里也是有些盼望着有别的什么的，就像言情小说里写的那样。可他似乎并没有要吻她的意思，只说"你出去帮我看着点倒车，别蹭了"或是"你想去牛街吃涮羊肉吗，明天我接你去吃吧"一类的无趣话。

　　他是像自己一样，太迟钝了？或者干脆是太熟练了？看不清楚他，也想不清楚这件事，那就不管了。

　　每次小宇来的清晨，夏夏会提前起床，做好一份午餐放在饭盒里给他——他中午没时间出去吃饭，总点快餐外卖随便吃。夏夏想，为了赚钱，饭都吃不好，他真是太可怜了。

与父母住在一起的缺点就是容易"被发现"。妈妈在催她把男友带回来看看，她就说再等等，和这个"男朋友"才刚在一起不到一个月而已。爸爸于是笑她：

"才刚一个月就对人家这么好啊？咱家的姑娘可别显得太倒贴了……"

夏夏一边把做好的咖喱饭团和培根芦笋卷往饭盒里装，一边回话：

"可是他对我也不错啊，你看，也是车接车送的……而且你们把我生得又不好看，我要想嫁出去，不就得靠对别人好吗？"

妈妈接话：

"谁说你不好看啦？是他们不识货！"

爸爸笑：

"23年总算来了个识货的小子，真是不容易……"

妈妈又问：

"他干什么的？在哪儿上班啊？"

"他自己开公司的，做服装生意……"

"唷，还是个小老板。哪学校毕业的？"

"……这个你们就先别查户口了，回头让他自己跟你们说吧。"

楼下传来几声"滴滴"，是他到了。妈妈走到窗边往下看，评价着"车子还行，不过大早上的在小区里乱鸣笛，有点那啥"。

夏夏赶紧提着饭盒跑下去。

真的是还没来得及反应，就和他在一起了。有点混乱。而他的样子，和夏夏之前对"男朋友"这个概念的想象有些相似，又很不同。

她曾经觉得"一定要是皇马的球迷"这点格外重要，现在却觉得一年才能完整地看几场球，喜欢什么球队，也没所谓吧。她以前喜欢穿衬衫、戴眼镜，文质彬彬的形象，像是裴勇俊那种类型，最好年纪要大她几岁，可小宇永远是圆寸头加T恤短裤加夹趾拖的样子，懒洋洋的，什么事都有自己的观点，又什么都不太在乎，和以前住胡同里的时候认识的那些男孩有点像。可她却突然觉得，这类从小见惯了的男孩其实是最可爱的。

甚至那个"至少得是本科学历"的标准也被她置之不顾了：职高没毕业又怎样？十六岁就开始在动物园练摊又怎样？有共同话题不就行了？

小宇的秉性其实比她身边的许多男生都好。他看来很孝顺，虽然早已自己独住，但过两天都要到父母家看看。他有很多朋友，哥们的事永远是最重要的。他只比夏夏大两岁，也许是因为早早进入社会的缘故，他对世事的气度却好过同龄的男生许多，不自大也不自卑，遇事从不慌乱也不抱怨，非常实际。

只是这样的他，应该找得到更好的人吧？为什么会看上这么普通的自己呢？自己与他，在别人的眼中，总是有些错位的，怎么就莫名其妙地在一起了呢？

有次忍不住就问起来：

"你为什么没喜欢上莞钰呢？"

做寿司的师傅把装着北极贝刺身的盘子递过来。小宇看了她一眼，表情有点怪怪的：

"我又为什么要喜欢她啊？"

"她漂亮啊，性格又好，和你还是同行，而且你那么早就认识她，喜欢她不是应该的？"

他夹起一块刺身，沾了点酱油，一口吞掉。芥末拌得有点多了，他皱了皱眉头：

"她不行，不是我喜欢的类型，而且当哥们时间太长了，没什么感觉。"

总觉得他是言不由衷。

这时安康鱼肝上来了，这是她在这家寿司店最爱的一道菜。默默吃完，又问：

"你喜欢的类型，难道就真的是我这样的？"

突然觉得有点没底气，有点傻。因为其实自己心里也不太明白自己究竟属于哪种"类型"。可越没底气的话越容易无意识地提高音量——这话显然被与小宇相熟的寿司师傅听到了，他一边磨芥末一边冲着这边心领神会地坏笑。

小宇把牡丹虾头做的汤端过来：

"哪来那么多废话。您就赶紧吃吧。"

龃龉

　　夏夏以前几乎没化过妆，总穿宽身的衣服，选衣服的第一要义就是"显瘦"，这里那里的赘肉是她最大的秘密。与小宇恋爱以来她却变了，开始不自主地留意那些时髦或是有女性特质的品牌，很勤快地到商场里去试衣，可总不令自己满意，总觉得哪里不对，于是每次都带着许多挫败感回家。

　　她还买了一些保养品和彩妆，常常戴隐形眼镜，一个人在家的时候就会照着网上的化妆教程，对着镜子涂涂抹抹。可折腾了半个小时以后，又觉得镜中那个别样的自己有些好笑，有些不自然，于是又统统擦掉。出门见他的时候就只扫些散粉和淡色的口红，可他好像从来就没有发现过自己的变化。

　　想让他吻自己，却不知怎样表示，他总十分轻松，看不出一点迷恋的样子。想像别的女孩那样与男朋友撒娇，向他要情话，可又怕会显得太矫情和不够从容。想自己也决定一次约会的时间和地点，可又怕耽误了他的工作，也怕他会拒绝。

做惯了配角，在主角的身份里也不太有存在感——一点点浅尝辄止的甜之后，心里更多的却是带着粗糙和紧张的尴尬。可是他，他是个粗心的人，那些自己的情绪，在他看来，大概大多是白费的吧。

还是在一起吃东西。两个人一起分吃一块水果松饼。夏夏不久前决定要减肥，吃这种高热量的食物总不自己点，可却忍不住吃小宇的那份。

松饼一来，他先把沾着奶油的草莓扫荡掉：

"对了，跟你汇报个事儿。"

"什么？"

"王莞钰昨天给我打了个电话，说她刚把餐厅转了，心里难受，让我陪她去泰国转一圈。"

夏夏有点诧异，可搞不清楚情况又不好说什么。心思转了一下，还是决定先问问明白：

"就你俩？"

小宇埋头大吃，作出很平常的样子：

"她好像是这么个意思。"

"你没跟她说你跟我在一起啦？"

"本来想说的，可她在电话里就一通不高兴，硬说心里难受，让我陪她。你不觉得她也挺可怜的吗？老周死了，给她留了个餐馆吧，现在也没了，我哪好意思跟她这秀恩爱啊？"

夏夏愈发没好气：

"她可怜，你就单独跟她去旅游？"

"你看你，别多想啊，我俩住两个房间！当了那么多年哥们了，能有啥？"

"其实你特别想跟她住一间吧。否则哪有那么心甘情愿当护花使者的？"

"……你不乐意就算了，我跟她说让她另找人去。"

小宇闷闷吃着松饼，夏夏却没了跟他抢的兴趣。

回到家，夏夏对着镜子洗脸。不知怎么，竟有点不认识镜中的这个发型别扭、五官不完美，还有一些胖胖的自己。

他为什么会喜欢我呢？真奇怪。如果他的喜欢是真的，为什么不能直接告诉他的朋友呢？脑子里晃过"备胎"两个字，可却不敢想下去，那些安静的拥抱，清晨楼下的等待，每次车子上热烈的讨论，总也说不完的话，以及每个话题停顿时、被自己认为是很有默契的对视，总不该是假的吧？

打开电脑上了一下msn，接到莞铭的消息。

"我恋爱了，夏夏。"

"真的？！和谁？"

"就是一个香港人，在银行里上班，比我小两个多月……"她接了一个红着脸的表情。

"天蝎座的？！照片发来看看！"

莞铭发来一张照片，是两个人在海港边的自拍。南方的阳光比北京通透许多，照片里的那个叫正豪的男孩长着一张很体面、说不上英俊却足够干净文雅的脸，一只手搭在她的肩膀上，莞铭偎在他怀里，笑得很自在——就像是偶像剧的剧照似的。真好看的画面，真相称的两个人。

本来想告诉她自己也恋爱了，可手指碰到键盘时却改了口：

"好帅啊！"

"帅吗？还行吧。我主要是觉得他人不错。"

"怎么不错啦？"

"可能我关注的点比较怪，就是觉得他好像是特别紧张我……也不知道怎么形容，就是觉得本来的他是一个样子，在我面前又是另一个样子，就好像是变傻了似的，话都说不清楚，让人总想逗逗他。然后就觉得他这样子很可爱……"

不知怎么，心里居然涌上些不舒服。与莞铭做了五年朋友，夏夏第一次意识到，莞铭好像总是在做自己梦想中的事。她无论穿什么样的衣服，化妆或素颜，都会是人群里的焦点；不用去招聘会投简历，工作自会有人安排好；去香港留学，遇到真正紧张她的人，可能以后就留在那个美丽的城市不用再回来……

可还是习惯性地做出期待的样子陪她聊下去，听她讲那个很可爱的男朋友，和她刚刚开始的这一段平缓和顺的恋爱。听着听着就更不想提自己这个别扭的、和想象中完全不同的恋爱。

这大概是和莞铭之间第一次出现龃龉吧，这真的是不太应该。夏夏想。

过了半个月，莞钰从泰国回来，据说是在那边认识了一个男朋友。小宇去跟他俩吃了顿饭，回来之后整个人都不太对劲，一路上都在唠叨：

"她啊就是眼光太差，你不觉得那个老周就长了一张吃软饭的脸吗？"

"你心态怎么那么不好？人家都去世了，你别这么说他。"

小宇一边嚼着口香糖一边转动着方向盘，有些赌气似的：

"反正都不是什么好东西，现在这个还不如老周！还说是开什么摄影工作室的，其实没什么大出息，王莞钰也就是傻，这辈子我看都得耽误在男人手里。"

夏夏突然克制不住地生起气来：

"她跟什么人谈恋爱是她的事，跟你又有什么关系呢？是不是只有跟你好，才算不耽误？"

小宇转头看看她：

"你看你，又狭隘了吧。"

"你是不是觉得跟我在一起特别丢脸啊？"

"你说什么呢？"

"那你为什么不跟她说咱俩在一块了呢？"

"我本来想说来着……"

"后来还是没说，对吧？不就是觉得人家又找了个有模有样的男朋友，你却找了我这样的，拿不出手，对吧？没事，你现在后悔还来得及。"

"你这不无理取闹吗？"

还是上次的那个红灯路口，又是一个急刹车。夏夏打开车门走了出去，她听见小宇的车子又"滴滴"了两声，就像是要召唤她回去。

所以真的是把自己当作召之即来呼之即去的备胎吗？

夏夏在喧嚣的车流里跑了几步，很快就消失在小宇的视野里。他朝着方向盘猛砸了两下，胳膊被自己砸得生疼。直到后面的车笛声齐齐响起，这才发现红灯早已变绿，不得不踩下油门，一直往下个路口开走了。

分 手

那天晚上，小宇给夏夏打了几个电话，可不是不接就是被挂掉。他心里有点无来由的气恼，好像从来就没有被女孩这样对待过，不打招呼就跑掉，算什么呢？一个人吃了点冰箱里早上剩下的三明治，又坐在沙发上抽了两支烟，他想，也许真的是自己说话有些过分？于是发短信过去：

"咱俩就不用有隔夜仇了。明天晚上看电影去？你下班我去接你。"

过了很长时间才接到她的回复：

"分手吧。"

"……不分。"

"我和你不一样。我对感情很认真。"

"我对感情也很认真，你爱信不信。"

"就这样吧，到此为止。"

小宇的无名火冒上来，他把手机恨恨地摔在地上，屏幕碎了。城市的另一端，夏夏趴在她的单人床上，把头闷在枕头下面偷偷地哭，任眼泪把床单浸透。

他为什么不道歉呢？

天气已渐转冷，寒夜总格外漫长。

那是2009年深秋的事。

五年以后的初夏，我与小宇和夏夏一起坐在新源里的酒馆里——《亲爱的另一个我》的故事原型是他们俩讲给我的，我的作品完稿了，所以请他们喝酒，还约定了下次邀那两个美丽的双胞胎一起来玩。我们不停闲聊着，等世界杯某一场的小组赛开始。

《亲爱的另一个我》的一开始，我说过我对自己的定位是一个"storyseeker"。旧的故事既然结束了，对于我来说，面前的这两个人真实的故事当然要更生动和吸引人些。当时的小宇和夏夏已经结婚一年有余，我答应了要把他们的故事也写出来，所以比起眼前的球赛，更关心的是他们那次分手之后的故事。可他俩却一直都在聊球，皇马系和巴萨系的较量依然在他们的话题里继续，以及关于内马尔或是梅西。

"如果决赛真的是巴西遇到阿根廷，那我们真的要分头去看球了，在家看，哼，一定会打起来！"小宇的语气有些无奈，又有些带着亲昵的得意。

"最开始的时候还说可以一起看世界杯，可根本没想到他就是个小心眼儿，从来就不知道让着我，根本没办法一起看啦！"据说比那时还胖了十斤的夏夏一边与鸡翅较量，一边抱怨。

比赛要到十二点才开始。在小宇的怂恿下，夏夏又点了一份炸串拼盘。他们以互相埋怨的方式继续讲着属于他们的往事。

小宇很实际，真的是小生意人会有的根深蒂固的实际。他在认识夏夏之前颇交往过一些女朋友，不是生意伙伴，就是一早出来"混社会"的，像他这种年轻、热情又有些钱的男孩总是很容易就遇到机会。在他看来，那些女朋友全都是一样的，与她们相处，真正的感情往往还未开始，一段关系就已经行将就木，剩下的只有情欲和说不清楚也不想回头面对的不堪。他甚至都没怎么想过爱情这回事到底该是怎样的。后来年龄渐长，他的想法朴素起来，只想找一个能聊天和体贴自己的女孩，哪怕普通些都无所谓。

他后来承认自己喜欢过莞钰。十八岁那年认识她，就一眼被她吸引，那时她的摊子在他的对面，总可以看她，帮她，心里也在幻想是不是有一天可以真正地亲近她。后来莞钰有了老周，他心里也着实挫败过一阵，后来也就慢慢想通了：命里无时不强求，感情无非就是一笔你情我愿的生意，合适才好。既然与莞钰无缘，那么就做朋友，天涯何处无芳草呢——水瓶座的小宇根本就不是一个会为感情长时间神伤的人。

小宇说，与夏夏的那次分手以后，他渐渐想明白，他俩会争执的原因并不在于谁比谁更认真一些，而是关于感情的某种错位。当初的夏夏是想在这段感情里找初恋的感觉，而当时的他不同，他是想找安稳：

"早明白的话，就换个方式对她就好了，可总觉得她应该懂……那时候还是太傻了，不懂得避重就轻和死缠烂打。"

夏夏看他的眼神里带着些嗔怪：

"你别听他瞎讲了，当时他根本就是不够诚心！再加上自私，只顾自己不顾别人……"

小宇带着点尴尬的笑，急忙捂住：

"别拆台！少说两句，吃你的吧。"

足球赛开始了。我们于是又要了些啤酒，边聊天边看起来。

那次分手之后，他们有四个月没有见过面。

一个周末晚上，小宇又去那家与夏夏去过几次的寿司店，打算借酒浇浇愁。几杯清酒下肚，就跟师傅聊起与夏夏的事。

"你说是不是什么样的女人都有特矫情的时候？"

师傅拿火枪小心翼翼地燎烧着一块鱼：

"我觉得她没问题吧。这姑娘看着还不错。"

"那你说我要怎么办？"

"还以为你是个明白人。这次糊涂了？她其实在乎的根本就不是你和其他女孩关系近，她就是介意你没把你们的关系公开……"

"那我不是没找着机会吗？以前的朋友现在都散了，大家各自都有各自的事，我总不能一个一个打电话去说吧。"

鳗鱼烤好。师傅摆好盘端过来：

"我怎么总觉得你小子有点遮遮掩掩？你不可能对王莞钰没有一点感情吧？"

小宇拿筷子拨了一下鳗鱼的焦皮，没吃，一口把杯中的酒喝了下去：

"要说一点没动过心那也是不可能的，可是那时候不也是年幼无知嘛！关键是她那样的，根本就不是能娶回家当媳妇儿的类型，你说一个女的，天天跟你谈感情，要死要活的，谁受得了？"

"所以你现在是想找个人定下来了。"

"嗯，也是奔三的人了。"

师傅拿出一块金枪鱼，一片一片切着：

"你上回不是说你对许晓夏也是一见钟情的？"

"对呀，你看她长得挺喜兴，多招人喜欢啊，是吧？就觉得踏实，心里舒服。而且也算是间接认识吧，知根知底的，上过大学也显得有文化……"

"你能找着这样的，也真算是捡着了。"

"我俩第一次见面，跟王莞钰姐妹俩一块吃烤肉，夏夏手脚特别麻利，我还没反应过来，她就把肉给烤上了，那姐妹俩倒好，一看就是得被人伺候的，一个劲儿在那说怎么购物，怎么玩。你跟夏夏一块吃饭吧，什么都不用操心，真是特体贴的一个好姑娘……"

小宇有些醉了，讲话有点语无伦次起来。师傅拌了一碗金枪鱼油梨饭给他：

"您就别吹了，先想想怎么跟人道歉吧。"

他像是没听到，依然自顾自唠叨：

"所以嘛。我就觉得特累。你说，她这样的姑娘都跟你玩矫情，看来这女人真是没一个省心的，我还是回家洗洗睡吧。"

看不到尽头的寂寞胡同，只有寿司店里一灯如豆。小宇迅速把一碗米饭扒到嘴里，跟师傅结了账，踉跄地走出去。

年底的旺季到了，每天都有接不完的电话，算不完的账。他又联系过夏夏几次，想装作没事似的约她出去，可每次都是冷淡的回答。

想想还是算了。她说是自己不够爱，那就当做是自己不够爱吧。毕竟也只是想过简单的生活而已。反正幸好也还没有和她怎么样，也算互不相欠，真的就像是一场没谈成就散伙的生意，缘分不到而已，还能怎么样呢？自己与她都是普通人，哪里有那么多的山盟海誓和哭哭啼啼？还是不想了，感情的事，真是比做账还让人头疼呢。

新 年

过了一段时间就是春节了。年底是小生意人最忙碌的时候，还没等小宇反应过来，喧嚷的北京在几十个小时里一下子变成了一座空城。

照例是与父母一起过年，照例是在零点前独自拿些焰火下楼去。小区里比平时冷清许多，一多半的地上车位都是空的，原本的熙熙攘攘和万家灯火全都冷淡下来。小宇例行公事似的点燃焰火，看着那些火花一朵一朵地在不够通透的天空中炸裂开，整个城市似乎只剩下灰蓝色天空中扑扑的声音，以及时不时几声爆竹的巨响。

一年就这么不由分说地过去。除了赚了点钱以外，还做了些什么值得记住的事情呢？小宇不想立刻上楼，他掏出手机，一百多条未读短信都是转发的拜年消息，揉揉眼睛，只觉得心里空得厉害。他打开通讯录翻找，想找个可以说些话的人，可这个那个好像都不太合适，直到翻到"X"，看到"夏夏"，才突然燃起了些带着慰藉的希望。一冲动，发了短信出去：

"嘛呢？"

"陪父母看春晚。你呢？"

"一个人在楼下放炮。"

等了一会儿，没收到她的回复，他心想反正也已经自讨没趣了，就补了一句：

"后天有空吗？一起吃个饭？"

几乎是同时，接到她的消息：

"这么可怜？过两天请你吃饭吧。"

大年初二似乎并不是一个约会的好日子，天色一整天都阴沉沉的，像是要下雪，大多数饭馆也都不开门。两个人在车子里拿着手机导航了很久，才找了家并不怎么喜欢的连锁火锅店。

坐定以后有片刻的沉默，好像是该说些什么，却又不知该从何讲起。不敢对视，只怕更无言。小宇趁夏夏低头看菜单时仔细看了看她：

"你好像有点瘦了。"

夏夏带着些陌生的微笑，在菜单上勾勾画画：

"这段时间瘦了七斤。以前总说减肥减肥，但总也减不掉，可是彻底不想着减肥的时候，就真的会莫名其妙地瘦了，挺奇怪的。"

"是太想我了？"他抓住机会开起玩笑来。

夏夏不回答。她把服务员叫过来，把点好的菜单递过去，脸色木然，还有点公事公办的样子。原本笑嘻嘻的他便也不太敢再讲下去了。

一顿火锅吃得不怎么尽兴。夏夏只说"好久没吃辣，都不怎么能吃了"，也不怎么动筷子，只不停往锅里下菜，或是拿漏勺把煮好的食物捞出来。看到她这样子，小宇便也没什么食欲，总觉得她的气场变严肃了，不自觉地就被影响，也不怎么敢吃。到最后结账的时候，之前点的菜多数都剩在锅里，与不断冒泡的红油一起悬浮着，乱糟糟地，给两个人的尴尬应足了景。

下了楼小宇想，难道就这么散了？如果这么一散，怕是以后就再也不会联络了吧，一向很会讲场面话的他居然觉得有一些挫败，不知道该讲些什么去挽留，怕一讲什么就又俗了。好在夏夏突然开口说：

"你要是不怕冷就陪我走走吧，吃得有点多，该消化一下的。"

"没事，不冷。"小宇忙不迭回答。

沿着北四环旁边的步行道默默走了十多分钟，天上就开始飘起雪来。

　　夏夏的头发长长了一点，风一吹就显得有点乱，雪花一朵一朵飘下来，沾在她飘起的发丝上结成冰粒，亮晶晶的。她没带围巾，又生怕雪花会钻到脖子里，不自主地把肩膀耸起来，有点可怜的样子。小宇突然很想去搂住她，或者把自己的围巾给她围上，可不知怎么，连与她并肩的勇气都没有，只能跟在她后面半步，跟着她慢慢走。手在她身后伸了几下，想了又想，还是犹豫着放下了。

　　夏夏就那么固执地默然走在前面，也不知道她的目的地在哪儿。他终于还是忍不住说了心里的话：

　　"夏夏，你说咱俩还有重新开始的可能吗？"

　　她沉默了一阵：

　　"嗯，没有了吧。"

　　"我能知道为什么吗？"

　　她突然停住，看着他：

　　"你觉得你是真的喜欢我吗？还是纯粹只是需要一个我这样的人，才找了我？你想清楚这件事了吗？"

　　他被问住了。怎样算是喜欢或是爱一个女孩呢？喜欢和需要，究竟有怎样的区别？这区别到底重要吗？再过几天他就要过26岁生日了，这个看来幼稚的问题，他好像答不出来，也没想过。如果是别的女孩问，他一定会讲一些不过脑子的甜言蜜语哄过去，可眼前这个女孩……不知为什么，真是没办法跟她讲那些太轻的话。

夏夏冷笑一下，继续往前走。小宇突然有点着急了，他往前冲了两步，站在夏夏面前：

"既然说起来了，咱们就干脆把这话给扯开了说明白吧。你心里是怎么想我的呢？"

她不躲避他的眼睛：

"你确定你要听吗？"

"还能是什么，无非就是觉得我轻浮，没文化，没起子，差不多就这样呗。"

夏夏却笑了：

"怎么会？我是真的觉得你不错的。"

"那为什么不想和我重新开始？"

"小宇，我其实不怕你笑话我，你是第一个说要追我的人，有生以来，第一次。"

"怎么可能？"

"是真的。所以我当时是真的有些糊涂的，但又真的是对你有好感，不过心里的糊涂和焦虑又多于那种好感……我也不知道该怎么说，反正那段时间总有点把握不了自己的心情似的，我不喜欢自己那个样子。你也会觉得我莫名其妙吧。"

"那不是你的问题，是怪我说话太不注意了，总让你误会，对不起，我向你道歉……"

这道歉是来得晚了些吧，不过幸好晚了。两个不够适合的人，总是不能够在一起的。夏夏一边这么想着，一边继续往前走。

一路又是无语。路的两边都是居民区和办公楼，除了雪花和冬日的萧瑟以外，再也没什么别的风景。育慧南路，右转，文学馆路，右转，惠新东街，再右转。马上就又要回到火锅店门口停车的地方。

北京的路为什么都是这样横平竖直，随便绕绕就会回到起点？小宇恨恨地想。

"我送你回家？"

"不用了，带我到地铁站就行了，我坐五号线很快就到了。"

"反正我也没事，还是送你吧。"

"路滑，开车也不太安全的，你还是赶快回去吧。"

"那……我以后还可以约你出去吗？"

"可以吧。"

雪越下越大，两个人的心里都有一点讲不清的凉。

暧 昧

很早之前，夏夏曾与莞铭很认真地讨论过"分手后是不是可以做朋友"这个问题。当时的她压根没有恋爱过，当然也没有分手过，讨论这个问题只是针对某个电视剧里的情节。以她当时懵懂的想象，她觉得这根本是不可能的——既然分手了，何必再介入对方的生活呢？这是多尴尬、又没必要的一件事呢？

可理论终究是理论。从那次雪夜的谈话开始，她和小宇居然成了很好的秘密好友。

起初是差不多一个月见一次面，后来频率就渐渐多起来。如果没有发现新的去处，就总约在那一家小小的寿司店。依然是小宇主动约她，她依然是从不懂拒绝，而且下了班以后除了回家就实在是无处可去，所以每次都会跟他去约会。

"多个朋友也无所谓吧。"一开始，夏夏是这么想的。

然后还是对他好，甚至比那时恋爱的时候还要好。有时候在网上买零食，会多买一份一样的寄到他办公室去；有新的恐怖电影上映，第一个就会想要和他一起看；到外地出差，总会带些当地的东西给他；或是不厌其烦地听他讲那些琐事，替他出些主意。慢慢地，他家里的每个亲戚有怎样的故事，他公司里每个人的个性，他的每个生意伙伴是难搞还是好说话，甚至他的每笔大的出账或是进账，虽然从未亲眼见过，可关于他身边的一切，她全都了解得一清二楚。

　　就当他是个朋友，对他的好就更名正言顺些。终于不用再斤斤计较自己是不是太主动，或是谁付出得更多。因为他只是个很谈得来、又很值得去交的好朋友，和其他人没有一点点区别，不是吗？

　　最平常的日子总是过得最快。过了不到一年，夏夏意外地升了职，负责的工作从纯事务变成了技术为主，外加一点管理工作。薪水涨得不多，任务和压力却陡然大起来。于是就没那么多时间与小宇见面，约会的时候总是在抱怨工作和新的老板。

　　小宇在这一年里却颇赚了些钱，公司从三五个人的规模陡然变成了十多个人。他把之前的大众高尔夫换成了宝马3系，跟别人说是需要装点门面，脸上的洋洋得意却不太遮得住，说话也比从前硬气了许多：

　　"许晓夏，你说你一个月赚那点儿钱，还在这破公司受那帮小日本的气，图啥啊？”

夏夏把一块海胆蘸足了酱油：

“那怎么办？你给我找工作？”

“行啊，你直接过来当老板娘都没问题！”

“你这话没劲了啊。”

小宇点的手卷来了，他递到夏夏嘴边，先让她吃了一口：

“说真的啊，你过来我们公司吧。你现在赚多少钱，我给你翻个倍。五险一金我们现在也能上了……”

“我去你们那儿能干啥啊？”

“干啥都行，副总，总监，就看你喜欢哪个叫法了。我说真的，不开玩笑，现在真的需要这么一个人来负责流程管理。我那儿的事儿简单，无非就是琐碎些，就看你愿不愿意去了。”

工作了一天的夏夏有点闷闷的。她故意作出一副不屑的样子：

“才不去你们这种皮包公司。”

“看吧，到底还是看不上我。我们庙小，还真是供不起您这位大神……”

原本以为是开开玩笑就过去的事，却没想到他是真的在找人。过了不久，小宇说服莞钰到他的公司做事，对外就说是他的“总监”，莞钰好像也没怎么推辞就答应了。

知道这个消息时，夏夏竟有些莫名的开心——终于有一件事是自己不要、别人捡上的了。而现在和小宇这样，就是所谓的暧昧吧，别的女孩说起暧昧的经历总是很苦很伤，但自己的这段暧昧，好像要比真正的恋爱还更享受些似的。

终于终于有了拒绝的权利，以及真正地把握一些事情了。大概自己是变了吧，不再像从前那样纯良。可这样的关系毕竟让自己感到安全，那么就也顾不到很多了，安全感比爱情来得更让人舒适些，可两者之间只能选其一吗？

某个恍惚的间隙，夏夏有些忧伤地这样想着。

有天在寿司店喝了点酒，小宇又带着半开玩笑的神色讲起来：

"许晓夏，你看你也老大不小的人了，马上也奔三了吧？"

在有认识的人在的场合，他总是叫她的全名，带着点大男子主义的炫耀。

"谁说我奔三了？这不还有五六年呢吗？"

"得了吧，再过两年也该大龄剩女了，要不咱俩凑合凑合得了？"

心里微微一动，转过脸去看看他，可总也看不清楚微醉的他到底是认真还是开玩笑。他说什么都一副毫不在意的样子。就像他给客户打电话做生意，就像他当初困困地说要追自己，全是那副模样。于是就也作出一副开玩笑的样子答他：

"凑合就凑合呗。你敢娶我就敢嫁！"

小宇揉了揉她的头发，把刚温好的酒替她斟满。然后冲着永远在餐台忙碌的寿司师傅讲：

"你可得给我俩作证啊，到时候别我做好准备了，她又反悔。"

"行啊，要不要你俩立个字据在这儿？"

夏夏不讲话，把面前的一小杯酒一口饮尽。小宇继续和师傅就着别的话题闲聊起来。

有天夏夏做了个梦。

梦里的情节就像是标准的偶像剧快结束时的桥段一样，突然出现了一个多金又帅气的男二号，非要和她结婚。可自己心里好像不太愿意似的，又找不到理由拒绝，正在犹疑时，小宇出现了。他拿了戒指和鲜花跟自己求婚，带着她从未见过的诚意，还说了很多软绵绵的情话。最后，在男二号愤愤不平的注视下，她被小宇牵着走向一片玫瑰色的幕布里。

醒来的时候发现自己居然在傻笑。盯住天花板仔细想想，心里却涌上点苦涩。

偶像剧都那么演的，在一对男女关系出现僵局、进退不能的时候，总会出现这么一个男二号用于打破僵局。其实那只是编剧写不下去的时候出现的惯用伎俩吧。可现实生活呢？哪有那么多合适的角色出现在合适的位置？而自己，那么烂好人的自己，就算这样的桥段发生在自己身上，多半也会考虑到男二号的心情，做不了决断，难道不是吗？关键是，自己与他，都已经习惯了把两个人的关系当作一个玩笑，似乎这样才更自然些，这怎么办？

恋爱里出现的所有事件都是无解，仿佛和他的关系总是要往死胡同里钻。如果他能彻彻底底地再追求自己一次，那该有多好。可他会吗？

夏夏又陷入一团难解的苦恼，似乎有生以来真正的苦恼都是因为他。半梦半醒之间才能置身事外地想起这件事，看到那个身在漩涡中的自己，总觉得本不该是这样。

有天夏夏半夜加班，接到小宇的电话。他的声音听上去像有点醉意似的：

"夏夏，你干吗呢？"

"加班呢。怎么那么晚打电话？"

"夏夏，我跟别人睡了。"

"什么？"

"你听不懂吗？就是有一个女的，刚认识的……我跟她睡了。"

被一大堆数据占满的心一下子沉到谷底。除了"噢",也不知道该怎么答。

"你能原谅我吗?夏夏。"

"你什么意思啊?你爱跟谁睡跟谁睡,跟我有什么关系啊?你喝多了吧?"

"喝了点,没事。"

电话那头传来发动汽车的声音,她心里又一沉:

"你不会在开车吧?"

"嗯。没事,喝的不多,能开得回去。"

"你在哪儿?"

"我看看啊,你等会儿。啊⋯⋯这哪儿啊。喔知道了,我在你们公司路对面。怎么就来这儿了?"

"你停着别动。等等啊,千万别动⋯⋯"

夏夏把做了一半的工作装进笔记本电脑,拎着背包跑下楼去。

纷 乱

　　找到小宇时，他已经趴在方向盘上睡着了，带着一身的酒气。

　　叫了路人帮忙，夏夏把他拖到了后座躺着，又从他包里找到了他的家门钥匙，一路开回他家。也不知道哪里来的那样大的力气，居然一个人从楼下把他架到卧室里。夏夏之前曾经来过一次他家取东西，只待了一下就走了，但那也是半年前的事情，就连她自己都不知道，居然能把楼号和门牌号记得那样清楚。

　　酒味不太好闻。烂醉的小宇一直在说昏话，也听不太明白。夏夏把他拖到床上，洗了把脸，和衣躺在他身边。

　　都说酒后吐真言，他说的，应该是真的吧？一个单身男孩，与一个刚认识的女人的一段一夜情，在这个城市里，是多寻常不过的事情呢。而自己和他，终究应该是完完全全不同的，从成长轨迹到价值观，根本就是不同的两类人。可是既然想清楚了，为什么就不能彻底放弃呢？真的不要再等下去，也不要再想了。

就那么看着他。忍不住摸了摸他的头发，和脸上没刮干净的胡茬。可他似乎并没有发觉。

夏夏又想起那首从前很喜欢的、叫做《真夏的公车》的歌。她把台灯关上，对着一团黑暗，轻轻地哼唱起来。

"可惜故事总不够圆满，他很快就会渐渐遗忘……我想我还是做你的朋友好了，免得夏天过后有太多的感伤……"

抱住他，紧紧贴住他的胸膛。想想自己也算是感情上有洁癖的人，可现在就这样抱住这样的他，竟也不觉得有什么古怪。

小宇嘟囔了一句什么，翻了个身，彻底睡熟了。夏夏叹了口气，替他盖好被子，自己躺在客厅沙发上睡下来。

第二天是个周六。醒来的时候已接近中午。

本打算收拾一下就悄悄离开，却发现小宇也醒了，站在卧室门口。他指了指她，又指了指他自己，张着嘴，揉着头发，一脸尴尬与疑惑。

她作出完全没事的样子，笑笑地讲：

"放心啦！咱俩没怎么样。"

小宇好像松了口气，可还没等他开口，夏夏又说：

"不过你和别人做的坏事我可是都知道了嗬！昨儿晚上把你扛上来真是累死我了！还有，你喝得那么烂醉，居然能把车开到我们公司，真是不容易……"

小宇扶住门框，好像要清理一下宿醉的思路。他呆站了一会儿，然后走到沙发前，坐下，点燃一支烟：

"我自己跟你说的？"

"否则呢？不过幸好你说了，要不然以你昨晚那个样子，要是继续开回去，肯定得出事儿！不是被警察叔叔带走就是……反正后果不堪设想！说吧，你怎么感谢我？"

"夏夏，对不起。"

"有什么好对不起的？"

"其实我也不是故意的，就是跟人喝了点酒嘛，也就没忍住……完事儿之后心里真的是特别难受，我也不想这样的，也是知道什么都瞒不住你的……"

夏夏打断他，脸色严肃起来：

"张翔宇，我觉得你没把这事给拎清楚。你现在是个单身男青年，你爱跟谁睡就跟谁睡，这是你的自由，用不着跟别人交代。昨儿晚上你既然到我那儿了，又喝成那个样子，作为朋友，我把你送回来也是我应该的，怕你出事而已。你别想多了。"

"不是，你听我解释行不行？"

他的眼睛里全是红血丝，十分憔悴的样子。看着这样的他，心里的窗户好像又被打开了。

不行，不能心软，否则恐怕又要回到无止境的等待里，有什么比与一个没定性的浪子谈感情更可悲的事情呢。

夏夏抛下一句"不用解释了，你好好休息吧"，关门离开。小宇呆坐着，直到被燃尽的烟烫了一下手指，才反应过来。

从过完25岁生日开始，夏夏妈妈就总跟她说起相亲，可每次都被她推搪过去，就说工作没时间，或是说自己还没有到一定要相亲的年纪。妈妈埋怨她"还惦记前男友"，她就用沉默抵抗。总是笑笑的她一旦沉下脸来简直有些可怕，于是父母也都不好多说什么。

那次从小宇家回来，妈妈再提相亲，她便松了口，说"既然大家都那么热心，那就去见一个好了"，也不再抗拒与家人谈门当户对或是男方条件之类的话题。她想，之前总对别人好，现在也是时候为自己做些打算了吧。

被形容成"温柔体贴，细心顾家"的夏夏很快就被亲戚朋友们推销了出去。两个月里，夏夏被安排了九次相亲，周末的日程总是很忙，也来不及因为别的事情惆怅或是感伤。只是对着面前或是夸夸其谈或是沉默无语的面孔，她总在走神——那些中间人是怎么想的呢？莫非自己在别人心里也是这样无趣无聊？否则为什么会把这样面目模糊的人介绍给自己？如果是他……其实是他又怎样？莫非自己真的上了那个叫做"曾经沧海"的贼船？

　　莞铭从香港回来了，也在国贸工作，两个人总在一起约着逛街解闷。她与香港的男朋友分了手，说起男人说起爱情，两个人仿佛互相洗脑似的，说的全是悲观的论调。可很快地，莞铭居然又被人追走，是那个姓张的有钱老男人——可见美女总是很容易就找到好归宿的，而这样普通的自己，有过一段无疾而终的恋爱，可能也就算是全部的感情经历了吧。

　　妈妈一开始提起秦先生的时候，语气相当小心翼翼：

　　"你也别抱太大希望。估计你回来又会嫌人家没性格，但条件真是不错的。我和你小姨也是推脱不掉，你就去见一下吧。"

　　一开始是抱着"反正也见过九个人了，见多一个也无所谓"的心态去的，可见面之后居然发现这个人果真还不错。所谓"不错的条件"是指他的硕士学历，在国企上班，所有的家庭情况都"知根知底"——他是夏夏小姨单位同事的儿子。秦先生穿浅色衬衫，与夏夏同专业，研究生和夏夏的本科在一所学校。第一次见面说了些学校的往事，对过往的恋情也不太隐瞒，温吞而宽厚的样子，总让夏夏想起别人眼中的她自己。

与"另一个自己"的相处果真很愉快。很快就有了第二次和第三次的约会。两人的话题不算多，无非是科幻电影和学校里的一些八卦，可好在两个人都足够谦让细心，每次约会都平稳和顺，沉默的时候也并没有许多尴尬，同时抬眼微笑的瞬间倒也不缺。第五次约会的时候，秦先生在电影院里牵了夏夏的手，她心里有片刻空白，不是因为牵手本身，只是因为明确了自己当下的心情完全不同于当初那样全然投入。

可能也就是这个人了吧。爱情和安全感，自己终究选了后者。也真是难得，终于有的可选，也终于出现了一个和前任丝毫没有可比性的人。夏夏在黑暗中这么想着，仿佛认识了一个崭新的、冷静得可怕的自己。

小宇这段时间总有点神经质。他不直接与夏夏讲话，可她每发一条微博，他就会留下一些莫名其妙的留言。夏夏想，既然与别人牵了手，那也就是确定关系了，是有必要跟他讲清楚的。打了电话约他，他很快就订了总去的那一家寿司店的座位。

很久不见，小宇显然是觉得之前的那件事已经翻过去了。他不停唠叨着他的那些琐事，好像是要刻意填满时间一样。讲了很久，才像突然想起来似的问她：

"怎么半天不说话？"

"……你以后别在我微博底下瞎留言了。"

他有点得意似的，把海苔丝拌进乌冬面里：

"怎么啦？不行啊？"

"我有男朋友了，给他看见不太好。"

"得了吧，不信。"

夏夏拿出手机，把自己与秦先生的自拍照给他看。

他原本调笑的神情瞬间就收了起来，随即点了一下她的手机，把照片删了。夏夏想把手机夺过来，可还没来得及，他却转了一下高脚椅，背对着她，一张一张地看着相册，把他看到的有秦先生出现的相片全都删掉。

没来得及跟他讲理，手机却不合时宜地响了一下，小宇划开一看，却是有点默然。他转回头，把手机扔给她。

信息果然是那位先生发来的：

"明天晚上你有时间吗？我们晚上七点三里屯小山见？"

虽然知道自己脸上的表情是愤怒而急切的，可她心里突然涌上些让自己不太敢坦然面对的、复仇的快乐。没时间回味一下，就听见小宇不屑的嘲弄：

"泡妞约在那种便宜地方，这小子也真够可以的。"

她不知该如何反应，扔下一句"神经病"就走了。工作台后的师傅磨着芥末，脸上露出点不易觉察的暧昧。小宇对着空气发了会儿呆，要了瓶酒，对着瓶子猛灌下去。

第二天，夏夏准时出现在与秦先生约好的餐厅，他已经订好了座位在等，话题依然客气而温吞。刚吃了一半，小宇突然就闯进了这间半隐蔽的隔间，就像自己本来就是饭局的一分子似的，非常理所当然地坐在夏夏身边。

夏夏几乎惊呆了：

"你干吗啊？"

秦先生见两个人好像是认识的样子，便问他是谁。

小宇的神情一半嘲弄，一半挑衅：

"我是她男朋友。"

主角夏夏

两年后，小宇说起那天的事情时，总试图把自己当初莽撞的行为蒙上一层英雄主义的面纱，就好像他的所有行动都是为了拯救魔窟里的少女夏夏一样：

"要不是我那会儿的速战速决，你哪有现在的幸福生活？"

夏夏反驳：

"得了吧，你那种行为属于典型的中二病，全世界也就你能做得出……人家小秦现在也是大博士了，不比你强一百倍？"

小宇一脸故作的不忿：

"他大博士，跟你有什么关系？他对你压根就没什么意思，要不怎么我一个中学生一吓就给吓跑了？"

夏夏的埋怨却盖不住她的甜笑：

"你说他这种水瓶男是不是特别没救？他那天特别傻，还跟我许诺了一大堆呢，到现在一个都没兑现过……"

小宇那天一天都没去公司。

早上起来只觉全身惫懒，本想换上衣服早点出门，可不知怎么的，心里总空空荡荡，总忍不住问自己，出门还不就是为了赚钱？可赚钱这件事有什么意思呢？说服不了自己，身体又恹恹的，饭也懒得吃，实在不想出去。那就打个电话到公司把事情交代了，继续躺在床上睡觉。昏昏沉沉直到天色转暗时，他脑子里突然闪过昨晚夏夏接到的那条短信，一下子弹坐起来。

再不做出点行动，就真的来不及了。他抬眼看看表，已经五点半了，离他们定好的约会只有一个半小时。

"大不了就打一架咯。"他对着镜子比划了几下。也是十年都没跟人动过手了，不知道能不能行？看照片，那个人文质彬彬的，应该不是自己的对手吧。又转念一想，武力解决恐怕是不太行的，如果自己先动手，一定又会徒增她讨厌。可那该怎么办？现在说什么她都不会相信的，自己身上的污点实在太多了，最坏的结果是她可能还会帮着对手讲话……该怎么收场呢？

他有点后悔没早点出门，应该去买一个譬如钻戒这样的信物带在身上的。可万一她站在那个男人那边，不给自己机会该怎么办？那种概率应该是很大的……管不了那么多了，反正砸场子的事情以前又不是没少做过，管他幼不幼稚，，孤注一掷，成王败寇也就是临门一脚，就这么定了！

临走前，他把自己所有的银行卡和存折都找出来带在身上。

"我是她男朋友。"

讲出这句话的时候，小宇心里也着实有点发怵。

秦先生看夏夏，问她是怎么回事。小宇也看向她，像是两个人都在逼着她回答一样。夏夏只觉百口莫辩，又被两人看得心里发毛，不知怎么居然还有点心虚。只能挤出这么一句：

"不是……他是前男友……"

小宇在桌子下面拉起夏夏的手，她挣了一下，没挣脱，只好被他抓住。小宇心想，自己手心里的冷汗被她发现，实在有点丢脸。不过也顾不得那么多了！他继续向秦先生挑衅：

"我跟许晓夏都好了三年了。你算个怎么回事？"

夏夏简直都要哭出来了：

"你别闹了行不行？求你了。"

秦先生露出一副不可理喻的神情，他显然是不准备再跟这两个莫名其妙的人纠缠下去，拿起纸巾擦了擦嘴，起身离开。

小宇随即把夏夏吃了一半的鳗鱼饭端过来，边吃边嘟囔：

"我都要饿死了，今天一天没吃饭……"

夏夏"哇"的一声就哭了。

一大波好奇打探的眼神正在靠近。

小宇迅速吃了几口，在夏夏的包里翻出一包纸巾，要帮她擦眼泪。她却一把将包抢过来，哭着跑了出去。小宇想追，却被三个早就盯着这桌的服务生团团围住，"先生，请买单。"他身上又没带够现金只能等刷卡。花了足足几分钟的时间才打好单子。小宇心急如焚。

　　他追到下沉广场时，发现夏夏一个人坐在北边的台阶上，一个人像是在抹眼泪。他准备赶快跑上去，可出餐厅的时候鞋子没穿好，被自己绊了一下，摔倒在高高的台阶下面。

　　完了，这么狼狈，都被她看去，以后又给她添笑料了！可还没来得及担心这个，下一秒钟却发现自己的脚被扭到，疼得厉害。不由自主地"哎哟"一声，这才看见裤子口袋里装着的银行卡和存折掉了出来，散了一地。

　　夏夏一边擦着眼泪一边走下来。小宇费力地在台阶上坐好，拉住她：

　　"你看，我为了你都这样了，所以你先别跑，你听我说。这几个是要交给你保管的，这张卡的密码是你的生日，850509，我刚在电脑上改的，另外几张卡电脑上没法改，刚才银行已经下班了，明天我陪你一起去改密码，哎呀疼死我了……"

　　夏夏把存折和卡片一张一张理好，递还给他：

"不要。"

"怎么了？"

"咱俩本来就没什么关系，我跟人好好吃个饭，你又来破坏，我为什么要你的东西？"

"我跟你说，那个人根本就不靠谱。你看，我刚才还没怎么样呢，他就给吓跑了，是不是男人都还两说，不是我说你，你眼光也太差了……"

夏夏感到一阵委屈，眼泪又流出来：

"我眼光差不差跟你有什么关系！我是眼光差，所以当初才会莫名其妙跟你在一块，让你骗我好几年，我现在真的是耗不起了，你说我有什么办法呢……"

小宇想扶住夏夏站起来，可脚踝却越来越疼，干脆坐下来，语气难得地严肃起来：

"夏夏，你怎么就不明白呢？我没骗你，我是真的喜欢你。你还记不记得那一次，你问过我是不是真的喜欢你，还是只是需要你这样的女孩，我后来总是想这个问题，可我真的想不通，喜欢和需要到底有什么本质区别呢？好，一开始我是需要你，可后来发现自己越来越依赖你，我也不知道这是不是你说的喜欢，反正我就这样了……昨天你给我看那小子的照片，我简直要难受死了，就真的觉得我今天如果不来跟你说清楚，简直都要活不下去了……"

夏夏的语气有点软下来，却还是在抽泣着：

"那你现在不还好好的？哪有这么夸张？就知道骗人。"

"我真他妈没骗你……"他挥挥手，"别说了，疼死我了。"

她俯下身，看了看他的脚踝：

"都肿了！你先待着别动，我去刚才餐厅看看有没有冰毛巾，你等等啊。"

小宇却拉住她：

"不准去，别一会儿那小子给你打电话你再跟人跑了。"

"那怎么办？不会伤到骨头吧？"

"还能怎么办，你陪我打车回家先。"

夏夏把他扶起来，挽住，陪他一瘸一拐地往前走。他皱着眉头嘟嘟囔囔的样子有点可爱，夏夏突然想笑，可转念一想还是不甘心：

"你还没跟我把那天那个事说清楚呢。"

"……我也实在不想解释了，算我错了。我现在跟你再发誓你肯定又说我假。要不这样，你提一个要求，我无条件满足你，算是补救，行吧？"

她想了一会儿：

"带我去马尔代夫。"

"没问题，我回去就去订机票。你来选酒店，找最贵的……"

"太花钱了，不去。不然去趟厦门好了。"

"不行，就去马尔代夫，就这么定了。"

小宇又把存折和卡片掏出来：

"你还是拿着吧。我也知道你不缺钱，就当先替我保管一下，否则我老觉得你没原谅我，心里特难受。我这么没文化，说什么你也不爱听，又老不相信，我也只能这样跟你表白我的真心了……"

他说话还是那么慢慢的，带着些总也改不掉的痞气。曾经痛恨的模样在霓虹下却变得可爱起来。夏夏终于破涕为笑。

又往前走了两步，他突然停下来：

"对了！"

"什么对了？"

"还有一个重要的事。"

"什么事？"

扭伤的脚显然又疼了一下，让他的嘴角微微牵动。他转过来，贴近夏夏耳边：

"我爱你，许晓夏。"

"啊？"

"好话不说二遍。"他在路灯下吻住了她。

后 记

　　《亲爱的另一个我》终于写完了。对于我这么一个写作的初学者来说，这么一篇十多万字的中长篇其实并不容易。

　　人物设定要丰满，故事发展要纯熟圆润，更得寄托一些不算太浅的主题，让人有余味……对于只写过新闻稿和最多一万字故事的我来说，真的是个挑战。

　　但好在最终我完成了。还有许多人在看，在鼓励。写下最后一个字时，那种满足感真的是无以言喻。我想，在结束这个故事的时候，还是要说些什么的吧。

　　虽然也知道故事要留余地，但许多话总还是不说不快，那就讲出来好了。:)

关于真实性

很多人会问起这个问题，我的微信公共账号里还会有人跟我要主角的照片。事实上我自己觉得这是一个最没有必要专门拿出来回答的问题，但总有人在问，我想还是讲一下为好。

其实在第一节我已就真实性做了评述：

"由于是听两个不同的人分别转述的，所以角度难免有些偏颇。整个故事和细节，在我这里又多了一层想象和改造，因此我这里讲的，是一个经过两次变形后的故事。

"不要较真，不要追问我故事的真实性。一个故事只是一个故事。就像我们看到的星光，不过是真实的星星在几十亿光年之外发出的光而已。星星是存在的，而星光是美的。"

以上就是我的回答了。:)

关于人物

我想先说说我的主题。

人的20–30岁之间，大多数人都在尝试与世界和自己和解。

如若你足够幸运，有天生乐观的个性，家庭圆满，遇到的都是爱自己的人，天性又容易知足，那么并不用太费工夫想"如何和解"这件事，世界在你眼里或许就是一个轻而易举。

或者你在未出现问题前就已找到了自己的武器——我认识一些人，过得足够快乐，因为他们自小就有一套完善的、强大的世界观，遇神杀神遇佛杀佛，过得无愧疚、无纠结，很酷。

可惜，我们大多数人并无这样的幸运和能力。所以一切只能慢慢来。

a小姐和b小姐和大多数人是同样的。

我看到评论说：

"像她们那么漂亮的姑娘，还不是想要什么就有什么。"

对不起，我觉得这样的评论真的很幼稚。

我总觉得物质是一件较容易得到的事情，除非真的是贪欲过多。相对来说，自己的内心反而不太容易抵达。她们两个一直都在想要与自己和解，拼上自己身上缺掉的那一块。

爱情，只是她们的途径而已。

妈妈角色的缺失是个大问题。

因为父亲的再婚，导致a小姐在家庭里是个多余的人。她只能从家庭的外面去寻找她的存在感。所以她会一下子爱上周先生。他因为与父亲的不睦，以及与相对优秀的弟弟的比较，虽然物质富足，但依然无法自处，所以他就像个逃兵。a小姐爱他是因为灵魂里的某种共性。与小王的一段情也是因为太需要安慰，"同是天涯沦落人"的相惜。当然那时她急着找爱，所以来得太快。

在这点上，b小姐是幸运的，她至少拥有外公外婆倾注给她的全部的爱，但她的童年过得太压抑，也太小心翼翼，难免导致心里奔涌的一面无处释放。从她高中时的初恋起，她一直都在找机会释放。对周先生的暗恋让她找到了一些出口，但终究回归更压抑的自己。在香港时的正豪是温文尔雅的、无可挑剔的，可这只是迎合了她表面上预设的自己：那个干净而有节制的人。

我喜欢a小姐，在于她的敢作敢当、落棋无悔。爱一个人就拼了命地迎上去，决定不爱了就拥抱一下，目送对方离去，也没什么惋惜。她从不怕辛苦，一切自给自足，不从世俗角度做决定。而b小姐的个性是我认识的女孩里很常见的，她和真实的自己总有隔膜，想去试，又不太有勇气，情绪全藏在暗涌处。

b小姐也不太喜欢这样的自己，可最终她找到了解药：去像姐姐一样拼命地爱一下，披荆斩棘地走出去。

不论她是否成功，至少她已经在路上。

来说男主角。

周先生看似是个偶像式的人物。其实他的个性也并不完善，他不是一个很成熟的人。因为年龄、运气和财富，他和世界达成了某种程度的和解。但他依然需要被拯救。当初的a小姐是一个单纯而热烈的存在，慢慢地融化了他。刚刚下定决心想要和她共度一生，却得了病。

或许他的离开对于他们的爱情来说是不幸中的万幸。a小姐得以保留了一段完整的感情。经历过爱人的逝去、另一个爱人的背叛之后，a小姐有了自己生命的延续。算是绝处逢生。她逐渐变得温和而通透，自知得失。

周先生的名字是一个隐藏的伏笔，不知大家有没有发现呢？

再说正豪。这是我自己在《亲爱的另一个我》里最喜欢的一个人物。

他的问题不是怪癖之类的，那些都不是什么难以克服的问题，事实上他在重新遇到b小姐之前已经因为自己的羞耻感而戒掉。他的问题是内心的兽性和完美主义之间的矛盾。

起初，他是处于平衡状态的。他可以通过某种途径来把他不想展示出的那一面发泄掉，便可成为恋人面前最完美的自己。可被发现之后，他不仅失恋，还丢掉了赖以生存的平衡性。所以他很痛苦，必须自救。

见了b小姐的他有些不知所措，想慢慢开始，又找不到途径。

直到b小姐讲起张先生，激发了他的某种隐藏着的嫉妒心和兽性。也许对于女人来说"跟我回家"这样的台词像是出于令人心动的爱，但对男人却未必如此。

事后他很后悔，觉得整件事已经坏到不能再坏。但她恰恰是因为这种他从未表达过的激烈，才彻彻底底地爱上了他。

正豪是一个自我意识很强大，却把控不了自己的人。他对b小姐是有爱情的，但这种爱情无法超越他的自我意识。在他搞定他自己之前，爱情对他来说是没有用的，反而更像讽刺。

所以最终b小姐选了正豪，并不见得是爱情的最终胜利。

再说老张。

我觉得他是一个很好的形象。与自己提前和解的人。

可能他说的一句有失体统的话在大家心里减了分，但我恰恰觉得这是他在感情面前全无心机一面的表现。他是真的想和b小姐在一起，难免会用了谈判场上的某种方式。

要说良好伴侣，他才是。

当然夏夏和小宇也是彼此的最佳伴侣，他们看似普通，可不用与自己的心结做斗争，对彼此全无心机。看似是阶层不同的两类人，但他们之间互补而融合的相处模式永远是最棒的。

关于结局

全篇的结局最终落在"究竟选怎样的男人"的问题上。

我并不想写成"选了一种男人，就是选了一种生活"这样的主题。坦白讲我很不喜欢那样的主题，好像和有钱人结婚就一定没有爱情，和爱的人结婚就一定要过苦日子一样。不过是人们的刻板印象罢了。

b小姐和张先生不是没有感情。她对张先生的感情里更多的是某种仰望，以及乱世逢知己一样的安定感，还有与和他在一起得到的自我实现，这都是很正面的感情。我也并不觉得这种感情就不是爱情。许多所谓的爱情都是因崇拜而生。人们提起年龄差距很大的情侣，总会又有一个刻板印象，觉得"只是为了钱"，但有时候并不是。财富只是一个重要的变量，但如若说"只是为了钱"，未必太轻薄。正豪的经济条件也不差。留英高材生加不错的家庭条件加港资银行外派代表，他一样有能力给b小姐很好的物质生活。

前面那些并不是我真正要说的。最终主题还是落在"选了一个男人，就选了一个内心的自己"上。所谓林中路，选了较难走的，走出来就是新的自己；选了很容易走的，晃晃悠悠许多年，那个并不满意的自己却依然如故。

b小姐选了较难走的那条路，当然未来会有很多很多问题。她要陪正豪度过他自己的心魔，今后的相处会有一些问题，a小姐的那句"只要相爱，什么都不是问题"其实是我不同意的。相爱的两个人，若不能自我完善，搞不好就玉石俱焚。即便帮助对方走了出来，或许经年已逝。这是场冒险。

但她就是选了。我为她叫好，你们呢？

关于我

再度谢谢喜欢我文字的所有人。我想只要有人看，我就会继续写下去。毕竟用文字来表达是我自己最大的喜好，而讲故事这项新学到的技能让我感到新鲜。写作对于现在的我来说，也是一条"林中路"。

谢谢。:)

图书在版编目（ＣＩＰ）数据

亲爱的另一个我 / 康沛著. —— 北京：北京联合出
版公司, 2015.4
ISBN 978-7-5502-4075-9

Ⅰ.①亲… Ⅱ.①康… Ⅲ.①长篇小说—中国—当代

Ⅳ.①I247.5

中国版本图书馆CIP数据核字（2014）第268732号

亲爱的另一个我

作者：康沛
责任编辑：孙志文
选题策划：读客图书　021-33608311
特约编辑：赵晨凤　朱华怡
封面设计：王雪
版式设计：吴星火
责任校对：张新元　绳刚

北京联合出版公司出版
（北京西城区德外大街83号楼9层　100088）
北京海石通印刷有限公司　新华书店经销
2015年4月第1版　2015年4月第1次印刷
字数180千字　890毫米×1270毫米 1/32　9.75印张
ISBN 978-7-5502-4075-9
定价：35.00元

如有印刷、装订质量问题，
请致电010-85866447（免费更换，邮寄到付）